TODAS LAS PINTURAS DE

el greco

textos de

Fernando Marías
Edi Bacchesci

biblioteca gráfica noguer

Edición española

Comité editorial
Enrique Lafuente Ferrari
José Gudiol
Alfonso E. Pérez Sánchez
Emilio Ardévol

Coordinación y redacción: Jorge Benet

Producción: Antonio Rodríguez

Traducción de Fernando Gutiérrez

ISBN 84-279-9100-2
Depósito legal: S. S. 74-81

Printed in Spain
1981 - Talleres Offset Nerecán, S. A.,
San Sebastián

Bibliografía esencial sobre el Greco

Fuentes y documentos: F. PACHECO, *Arte de la pintura.* Sevilla 1649 (ed. F. J. Sánchez Cantón, 1956); A. PALOMINO, *El Museo pictórico y Escala óptica,* Madrid 1715-16; J. A. CEÁN BERMÚDEZ, *Diccionario histórico...,* Madrid 1800; F. BORJA DE SAN ROMÁN Y FERNÁNDEZ. *El Greco en Toledo,* Madrid 1910; F. J. SÁNCHEZ CANTÓN, *Fuentes literarias...,* vols. II-V, Madrid 1933-41; M. R. ZARCO DEL VALLE. *Datos documentales para la historia del arte español. Documentos de la Catedral de Toledo,* Madrid 1916; N. COSSÍO DE JIMÉNEZ, *El Greco. Notes on his Birthplace, Education and Family,* Oxford 1948.

Estudios monográficos modernos: S. VINIEGRA, Catálogo de la exposición del Greco en el Prado, Madrid 1902; M. B. COSSÍO, *El Greco,* Madrid 1908, y *D. Theotocopuli,* Oxford 1957 (a cargo de N. Cossío de Jiménez); J. MEIER-GRAEFE, *El Greco,* Munich 1911; H. KEHRER, *Die Kunst des Greco,* Munich 1914; E. DU GUÉ TRAPIER, *El Greco,* Nueva York 1925, y *El Greco's Early Years at Toledo,* Nueva York 1958; J. F. WILLUMSEN, *La jeunesse du Greco,* París 1927; J. CASSOU, *Le Greco,* París 1931; R. PALLUCCHINI, *Il polittico del Greco nella R. Galleria Estense,* Roma 1937; G. MARTIN-MERY, Catálogo de la exposición "Le Greco de la Crète à Tolède par Venise", Burdeos 1953; *Il Greco,* Milán 1956; *Il Greco a Venezia,* 1966; M. LEGENDRE - A. HARTMANN, *El Greco,* París 1938; L. GOLDSCHEIDER, *El Greco,* Nueva York 1938 y 1954; J. CAMÓN AZNAR, *Dominico Greco,* Madrid 1950 (con amplia bibliografía); L. BRONSTEIN, *El Greco,* Nueva York 1951; A. VALLENTIN, *El Greco,* París 1954; P. GUINARD, *Greco,* Ginebra 1959; K. IPSER, *El Greco,* Berlín 1960; P. KÉLEMEN, *El Greco revisited...,* Nueva York 1961; F. J. SÁNCHEZ CANTÓN, *El Greco,* Milán 1961; H. E. WETHEY, *El Greco an his school,* Princeton 1962 (con catálogo completo); PH. TROUTMAN, *El Greco,* Londres-Verona 1963, 1967; L. PUPPI, *El Greco,* Florencia 1967; E. LAFUENTE FERRARI - J. M. PITA ANDRADE, *Il Greco di Toledo e il suo espressionismo estremo,* Milán 1969; J. GUDIOL, *El Greco,* Barcelona 1973; J. LASSAIGNE, *El Greco,* París 1973.

Revisión del Greco

Cuando en 1908 Manuel Cossío publicó la primera monografía sobre el Greco, tituló su capítulo inicial "Lo que se ignora de la vida del Greco". A mediados de siglo, en una nueva edición, éste había dado paso a "Lo que se sabe de la vida del Greco". En aquel lapso de tiempo, se habían multiplicado nuestros conocimientos documentales sobre su persona y la bibliografía sobre el pintor cretense lo había convertido en uno de los artistas —españoles o europeos— más estudiados. Hoy habría quizá que volver al título original de Cossío, aunque haya seguido aumentando el número de hechos e interpretaciones que sobre Theotocópuli poseemos. Pero desde entonces nuestro concepto de la vida de un artista ha intentado no limitarse al estudio formal de su obra y al conocimiento de una secuencia cronológica de hechos biográficos. Y, por otra parte, la historia del arte se ha abierto a nuevos intereses y a nuevos caminos metodológicos, y ha llegado a contemplar sus "objetos" de estudio como conglomerados de factores internos y personales —teóricos, psicológicos— y externos, circunstanciales.

Un artista del pasado, como el Greco, es primordialmente su obra; una obra que, como forma y contenido, responde a las intenciones artísticas (no sólo estéticas) de su autor y a las pretensiones informativas de unos clientes que encargan un tema preciso a un artista concreto; cuyo propio estilo se ve requerido y, al mismo tiempo, condicionado y matizado por ese tema solicitado.

Para conocer las intenciones artísticas del Greco disponemos, afortunadamente, de dos conjuntos importantes de documentos, descubiertos en fechas muy recientes: dos series de anotaciones personales sobre su idea del arte, en general, y sobre su concepto de la pintura, en particular. Estos conjuntos de "literatura artística" del Greco ilustran nuestro conocimiento de la psicología del artista, sobre los presupuestos teóricos de los que partió su quehacer figurativo y, después de ser interpretados, sobre los fines estéticos e intelectuales que, con sus obras, el cretense pretendía alcanzar. Pero, en buena medida, estos nuevos hallazgos han venido a poner en entredicho lo que pensábamos saber sobre Theotocópuli y su obra.

En primer lugar, sobre su origen. No, huelga el señalarlo, que no fuera candiota, pero sí sobre la significación e importancia de su nacimiento en Creta. Por una parte, se ha señalado su formación pictórica a la veneciana, aun antes de salir para Italia, quizá junto al maestro Giorgio Klotza, el más italianizante de los artistas cretenses de mediados del siglo; su dependencia con respecto a formulismos y modelos occidentales incluso en una obra, como el Tríptico de Módena, acaso pintada todavía en la isla "oriental". Por otra, hay que apuntar su distanciamiento con respecto a lo grecobizantino, si exceptuamos su instalación permanente en la lengua materna; su consideración personal como heredero —"hijo"— de una cultura griega sólo representada por la clásica de la Antigüedad; una relación que podría asumir cualquier europeo sin necesidad de haber nacido en Creta. Pero tampoco hay que ver al Greco como puramente español, ni sentimental, ni lingüística, ni cultural, ni artísticamente en íntima unión con lo hispano. Theotocópuli se nos aparece como italiano, inmerso en los manierismos veneciano y romano en su arte, en el pensamiento neoplatónico y neoaristotélico como sistemas filosóficos en los que basará su construcción teórica; como artista italiano que sólo considera equiparables a sus colegas ultrapirenaicos (Miguel Angel, Tiziano, Rafael, Clovio, Palladio, Tintoretto, Parmigianino, Correggio), olvidando a los cretenses e ignorando a los españoles.

En segundo lugar, sobre su propio carácter personal. El Greco no parece ser ya el artista lunático, solitario e introvertido, sólo atento a su luz interior, abocado a transportes y arrobos místicos, ajeno a la realidad. Theotocópuli tuvo firmemente asentados los pies en el suelo. Sabiéndose genial e intentando emular al *divino messer* Miguel Angel como artista total, el Greco ejerce de "genio" y así se nos aparece con todas las virtudes y defectos que configuran al ser excepcional y que se precia de serlo. Parece haber sido un hombre de gran sensibilidad, reflexivo a la par que intuitivo, brillante, sagaz, burlón y humorista, irónico, paradójico, mundano, moderno; pero también asistemático, contradictorio, confuso, arbitrario, soberbio, despectivo, autosuficiente, insultante, lenguaraz e impertinente. Disfrutó con los placeres sensuales y literarios, llevó un tren de vida por encima de sus posibilidades económicas, pleiteó a la menor ocasión, regateó hasta el último maravedí; pero asimismo fue buen amigo de sus amigos, defendió el carácter intelectual de las artes —la ingenuidad de la pintura—, pretendió ser hombre de vasta cultura, teorizó sobre la actividad artística y, en resumidas cuentas, intentó llegar a ser, por un lado, un artista genial y total —pintor, escultor y arquitecto— y, por otro, un pintor "filósofo".

Este punto merece nuestra atención. El Greco, en una corriente que podría englobar a artistas tan dispares en tantos sentidos como Leonardo da Vinci o Antón Rafael Mengs, siente la pintura como una actividad cuyo fin es científico, cognoscitivo, medio de conocimiento. Pero conocimiento no sólo de la naturaleza objetiva, estable, "legislable", sino de la naturaleza vista por uno mismo, subjetivizada en tanto que todo es —en una línea de pensamiento puramente manierista— subjetivo, empírico. Su método "científico" es la visión personal, la impresión subjetiva, la vista de la forma y el color de las cosas y las personas, no sólo la mezcla del dibujo a la romana y el color a la veneciana. Henos aquí hablando de un nuevo aspecto problemático del Greco: su arte.

Un arte que toma caracteres nuevos al interpretar sus formalismos, sus "extravagancias caprichosas", sus distorsiones, exageraciones, alargamientos y escorzos como medios para plasmar una belleza *graziosa*, libre de reglas proporcionales y en un espacio no encorsetado por la perspectiva. Un arte que hace explotar el color y la luz cuando las formas "vistas" —luz y color— pertenecen a seres invisibles, sobrenaturales; que se vuelve sobrio y realista —reflejo de una realidad *vista*— en sus retratos y asuntos terrenales. Un arte que distingue las diferentes naturalezas y se desdobla en su tratamiento, dual y al mismo tiempo unitario.

Y de ser esto cierto, ¿dónde nos queda el pintor místico, el san Juan de la Cruz de la pintura? ¿Qué es del gran pintor religioso de una Contrarreforma extremada? He aquí otro de los problemas actualmente planteados y de no fácil solución. Su consideración del fin de la pintura como ciencia y filosofía, lo aleja de sus contemporáneos que la tenían como medio de fomentar la devoción y la piedad, que indujera a la oración y que, incluso, comportara al artista su propia salvación personal. Sus planteamientos teoréticos de corte laico dejan escaso lugar a los arrobos irracionales, su trabajo puntilloso a los transportes "a lo divino". Y, sin embargo, el Greco fue un pintor primariamente de temática religiosa, aun cuando muchas de estas obras fueran criticadas por sus contemporáneos desde el punto de vista de la conveniencia iconográfica ortodoxa o porque no condujeran a sus espectadores a intensificar su devoción. Tras el entusiasmo de los toledanos (la catedral, el monasterio de Santo Domingo el Antiguo) ante el desconocido que viene de Italia, los encargos de instituciones religiosas casi desaparecen; el Greco se convierte en pintor de un reducido grupo de clientes muy cultivados, que le encarga obras religiosas para capillas privadas o semipúblicas, o de parroquias —en la ciudad y en los pueblos de la provincia— de poca importancia como centros religiosos. Son obras más de carácter privado que institucionales.

Sería necesario, para responder a estas interrogantes, un estudio del ambiente cultural y religioso del Toledo de fines del siglo XVI, libre de tópicos; un análisis de las motivaciones de sus clientes —¿estéticas? ¿temáticas?— en la elección del pintor; un estudio de las causas de su estimación minoritaria; una investigación sobre la iconología —no sólo sobre la iconografía— de sus obras religiosas. Quizás entonces habríamos dado un nuevo paso en el conocimiento del Greco y su pintura. Podríamos saber si sus intereses no sólo se limitaban a la forma de sus obras, sino también a la concepción global de su contenido religioso; si el pintor cretense interpretaba —tan personal como brillantemente— las ideas y deseos temáticos de su clientela particular o de la corriente contrarreformista en general; si su fama durante los siglos XVI y XVII se debió a su estilo y a sus retratos solamente, o también a su pintura religiosa; si entonces —en vida— se le consideró como un gran pintor religioso o esta idea es creación de un siglo como el nuestro, que ha evolucionado desde la época de Trento en sus creencias y, sobre todo, en la apreciación de las formas que deben y pueden representarlas.

El hombre y el artista

Domenico Theotocopulos, llamado el Greco, nació en 1541 en Candía, en la isla de Creta, hijo de una familia acomodada de la comunidad católica. A la edad de veinticinco años se hallaba aún en la isla, "tierra de san Marcos" y encrucijada entre la antigua civilización de Bizancio y Occidente.
Inmediatamente después lo encontramos en Italia, en Venecia: es el momento en que se le supone discípulo de Tiziano. Hacia los treinta años deja Venecia y atraviesa Italia, con probables estancias en Parma, Reggio Emilia y Florencia, y se detiene en Roma. Evidentemente es ya un pintor bastante estimado que, con cierta facilidad, encuentra amistades y apoyo. El miniaturista Giulio Clovio, de origen dálmata, lo introduce en el mundo del cardenal Alejandro Farnesio, y, por lo tanto, en el animado ambiente de cultura manierista al frente de la cual figura el bibliotecario de los Farnesio, Fulvio Orsini.
A los dos años de su llegada a Roma, en 1572, el Greco figura entre los pintores de la prestigiosa Academia de San Lucas. El período italiano del artista que comprende acaso un regreso a Venecia y una estadía en Parma, dura al menos hasta 1575. Entre 1575 y 1576, a los treinta y cinco años ya cumplidos, se supone que partió definitivamente para España, con una primera etapa en Madrid; después Toledo, hasta su muerte ocurrida en 1614.
Las vicisitudes del Greco, confiadas a las fechas que señalan las etapas de sus traslados, resultan insignificantes y lineales. Pero precisamente el moverse de uno a otro ámbito cultural, desde los dos máximos centros italianos, Venecia y Roma, a la corte de Felipe II en Madrid, yendo a parar por último a la gloriosa pero ya no tan famosa Toledo, implica una vicisitud cultural extremadamente compleja.
En las obras que hay que referir a los comienzos del período italiano se hallan presentes los originarios vínculos con los "madonneri", pintores de iconos bizantinizantes, y, los más meditados y recientes, con el saber veneciano. Así, el Tríptico portátil de Módena (n. 3), pintado por ambos lados, presenta figuraciones en parte inspiradas en xilografías venecianas de la época (*Cristo corona a un caballero cristiano,* en el centro del lado frontal) y en parte en las imágenes predilectas de los pintores devocionales de Oriente (*Vista del monte Sinaí,* en el lado opuesto), que nos remontan al marcado cromatismo, con efectos de esmalte y la misma firma a lo griego: "cheir Domenikou", de mano de Domenico.
Durante el período veneciano, poco antes de 1570, el joven cretense no figura inscrito entre la numerosa corporación veneciana de los pintores griegos: hecho que puede ser indicativo de lo que sería desde entonces su orientación. Si, en efecto, es muy probable que apenas llegado a Venecia hubiese encontrado trabajo junto a cualquier compatriota "madonnero", también es cierto que muy pronto parece interesado por las corrientes de la pintura local, de las que absorbe en sentido lato los valores de espacio, luz y atmósfera.
Más directamente planteado sobre la lección veneciana aparece la composición de la *Expulsión de los mercaderes del templo* (n. 8a) y de *Cristo cura al ciego* (n. 14a), en la que el tema evangélico está construido como un acaecimiento presente, *in fieri,* en la dinámica encendida por los colores, las luces y los gestos; luces diurnas y nocturnas, paisajes o fragmentos de arquitecturas del siglo XVI señalan la fisicidad del espacio, en el cual el espectador se halla directamente implicado.
Cualesquiera que hayan sido las relaciones formales con Tiziano, a quien el Grego frecuentó ciertamente en el taller, como atento observador, no parece muy relevante la composición tizianesca. Por las mismas propensiones manierísticas de sus comienzos y por un más intrínseco parentesco de gusto, el joven cretense más bien parece inclinado en la dirección del Tintoretto, con sus imágenes agitadas y las luces relampagueantes, sensible también a ecos más amplios de la manera véneta, desde Lotto a Bassano.
Incluso si en la versión de la *Expulsión de los mercaderes del templo* de Minneapolis (n. 8b) el pintor incluye, como por una especie de

Supuesto autorretrato juvenil del Greco, tomado de la pintura que representa a Cristo curando al ciego (n. 14a).

homenaje, las efigies de Tiziano y Miguel Angel, de su amigo Giulio Clovio y de Rafael, el ascendiente de la manera véneta prevalece sobre la tradición toscano-romana, llevada a colocar el tema representado en una dimensión ideal y metahistórica.

Hacia 1570, cuando llegó el Greco, Roma conocía un momento de renovada cultura manierista, siempre sobre los grandes ejemplos de Rafael y Miguel Angel, en un clima de moralismo inspirado por la Contrarreforma. Fue para él un período doblemente significativo, sea por su inclusión en un círculo cultural (el de los Farnesio) donde maduraron las premisas para su futura ida a España, fuese por el conocimiento "en las fuentes" de la gran cultura del siglo XVI que lo llevaría a penetrar más al fondo, en el hipotético segundo viaje a Venecia, el lenguaje del Tintoretto.

La condena que, por lo que refiere el biógrafo Giulio Mancini, expresó el Greco sobre el *Juicio Universal* de Miguel Angel ("Si se derrumbara toda la obra, yo estaré en condiciones de rehacerla de modo decoroso y con igual habilidad"), es también en cierto modo testimonio de una elección de contenido orientada hacia Venecia.

Es posible que un juicio tan drástico sobre el Miguel Angel de la Capilla Sixtina habría proporcionado al Greco la hostilidad del ambiente romano, pero ciertamente no fue esta la causa de su ida a España. En la península ibérica se abrían a los artistas amplias perspectivas de trabajo desde que, quince años antes, Felipe II había trasladado la capital desde Toledo a Madrid, que se preparaba para convertirse en el primer moderno centro de España. Sobre todo se buscaban artistas italianos para decorar el gran complejo arquitectónico del monasterio de El Escorial. Y el Greco, valiéndose probablemente de las presentaciones de influyentes españoles conocidos en el palacio Farnesio, como Pedro Chacón, canónigo de la catedral de Toledo, o Luis de Castilla, dejó definitivamente Italia por España.

No podemos saber con seguridad si Madrid fue su primera etapa: cierto es que se encontraba allí a fines de 1576 o a principios de 1577, y que a estas fechas se pueden remontar dos de sus primeras obras españolas, *Alegoría de la Santa Liga* (n. 32a) y *Martirio de san Mauricio* (n. 36). Ambos cuadros, pintados para Felipe II y para el nuevo ambiente cultural y político de su corte, son obras singulares en la producción del Greco. La primera representa la alegoría de la alianza entre España, Papado y Venecia, victoriosa sobre los turcos en Lepanto en 1571. La elaborada articulación de la obra (en el centro los protagonistas; a la derecha, la boca infernal que engulle a los condenados; detrás, los fieles orantes, y en lo alto las jerarquías angélicas) se justifica con la búsqueda de un lenguaje formal de valor "universal", en el cual el hecho histórico está presentado como la realización en la tierra del orden absoluto de lo divino: es la Santa Liga la que vuelve a proponer tal orden en una dimensión terrena de política y de poder.

En el *Martirio de san Mauricio,* todavía más claramente que en la *Alegoría,* el Greco elige un lenguaje pictórico para él bastante nuevo, alejado de las tonalidades y de la atmósfera de la "naturaleza" veneciana. Aquí la influencia es del Pontormo, primerísimo exegeta de la "maniera" de la gran lección renacentista toscana: una influencia que se precisa, como enrarecimiento de la materia, en las luces diáfanas que fijan las formas, en el color epidérmico y cambiante de los cuerpos, levitados sin peso en un espacio ideal.

El cuadro desorientó al real comitente, cuyo gusto se había formado en el clasicismo renacentista y, sobre todo, en el cálido cromatismo del predilecto Tiziano. Así, en el lugar del *Martirio de san Mauricio,* en la capilla del Escorial, se colocó la obra de otro pintor. Para el artista debió de ser muy grande la desilusión, y el hecho pesó evidentemente en

Firmas con caracteres griegos mayúsculos y minúsculos trazadas por el artista en obras registradas en los números 8a, 8b, 20a, 21f, 24 y 74 del presente Catálogo.

su decisión de instalarse definitivamente en Toledo, donde podía contar con sus amigos y encomenderos de categoría en el ambiente cultural y eclesiástico. En efecto, los primeros encargos importantes en España, a partir del *Expolio* (n. 22a), para el cual se abrió una cuenta en julio de 1577, provienen de Toledo. La vieja capital, con su fervor de vida y de cultura, conservaba con todo derecho su fama de "ciudad imperial y coronada". En cuanto a cultura figurativa, el ambiente era, en realidad más bien anticuado, todavía muy vinculado a la tradición del gótico tardío, pero será precisamente el Greco quien impondrá con autoridad el arte religioso español en el ámbito de la gran pintura europea del siglo XVI, vinculada al concilio de Trento. Muy pronto se convertirá en el pintor más famoso y solicitado, con una producción muy vasta que, a lo largo de más de treinta años, desde 1580 a 1614, comprende sustancialmente tres gamas de trabajos, llevados paralelamente a lo largo de toda su actividad: los retratos, las series devocionales de santos y apóstoles (los "Apostolados"), con imágenes como máximo a medio cuerpo, y los cuadros devocionales junto con los grandes encargos decorativos para iglesias y monasterios de Toledo y de la región.

La producción de retratos, que acaso en cantidad es la más escasa y, en cierto número de obras, objeto de controversias en cuanto a su atribución, presenta entre las primeras pruebas un cuadro de extraordinario interés, idealmente afín al espléndido *Retrato de Giulio Clovio* del período italiano (n. 11): la *Dama del armiño* (n. 25). El personaje femenino se nos muestra profundamente marcado con los caracteres individuales y "sociales" (véase el refinamiento de las ropas), mientras que el modelado firme y compacto de los planos, de los rasgos del cuello y de las manos se revela evidentemente "clásico" en su derivación rafaelesca.

En los mismos años, en torno a 1580, a partir del *Caballero de la mano en el pecho* (n. 29), cuyo gesto parece aludir al ritual del juramento caballeresco, tenemos una serie de "personajes" en quienes el hábito, más que definir la personalidad del retratado, es la enseña de su grado social, acreditado también por los rostros y los ademanes, de un hieratismo más o menos acentuado.

La autoridad oficial, el poder, pasa a ser la primera característica en el *Retrato del cardenal Niño de Guevara* (n. 97a). Gran Inquisidor en 1600, ya arzobispo de Toledo y luego de Sevilla en 1601 (el retrato fue pintado probablemente entre estas dos fechas); una imagen suntuosa y fríamente altiva en los colores y en la postura inmóvil, amanazadora, sin un gesto particular.

Pandora como Eva *y* Epimeteo como Adán, *dos esculturas en madera policromada realizadas por el Greco hacia 1605-10 (ambas de 42 cm de altura; Museo del Prado, Madrid).*

Más movido y sensible, se mire desde donde se mire, es el *Retrato de fray Hortensio Félix Paravicino* (n. 138), de la Orden Trinitaria, escritor de gran cultura y amigo del artista, a quien dedicó, entre otros, cuatro famosos sonetos. La imagen presenta una actitud más conciliadora, con fragmentos de planos que dan la impresión de una extraordinaria energía moral, que trasciende también el hábito monástico. Es el retrato de una autoridad moral, pictóricamente más cerca de las imágenes de los santos del Greco que de los contemporáneos retratados por él. La misma autoridad la expresa el *Retrato de Jerónimo de Cevallos* (n. 139), jurista y funcionario público toledano, presentado en una actitud dominante que en la sólida plenitud de la figura, enriquecida por la alta gorguera, sugiere el recuerdo del *Aretino* de Tiziano.

En los retratos del Greco hay, por tanto, un continuo paso de la idealización del sujeto a "modelo", a la crónica de su posición real y autoridad social, a la fulguración del valor absoluto de lo real.

Múltiples y profundas afinidades con los retratos presentan los "Apostolados", ciclo de lienzos con Cristo y los doce apóstoles o santos (seis vueltos a la izquierda, seis a la derecha, y el Salvador de frente), repetidos por el artista y el taller para iglesias y comunidades religiosas. En los dos conjuntos de más alta calidad, conservados ambos en Toledo (sacristía de la catedral, desde principios del siglo XVII [n. 116]; Museo del Greco, un decenio más tarde [n. 144]), las imágenes se nos muestran en tres cuartos de figura, en proporciones monumentales, replanteadas en la iconografía tradicional con una libertad de acento y gestos que varían de un conjunto a otro. Las figuras (véase en particular el *San Bartolomé* del Museo del Greco [n. 144C] y el *San Andrés* en la catedral [n. 116B]) han asumido no sólo las torsiones, los alargamientos y las hinchazones innaturales del manierismo más intelectualista, sino que sabemos también que han tomado a menudo los rostros "diversos" de los viejos y los locos del asilo de Toledo. Sólo en la figura de Cristo, de máscara más o menos humanizada, se advierte claramente la huella del *Pantocrátor*

de la tradición bizantina. En los apóstoles, de los modelos tradicionales no subsisten más que los gestos; los rostros, chupados o ardientes, o cerrados y distantes, son "retratos" de hombres que viven una diversa realidad, una dramática vida interior.
Esta búsqueda del Greco que se detiene entre los viejos del asilo toledano, a dos pasos de casa, precisamente para las figuras de los santos y los apóstoles, es una sobrecogedora lección que nos llega no de un místico, sino de un realista, de un Greco que descubre y testimonia la multiplicidad de lo verdadero en la realidad histórica y, por tanto, poética de su tiempo. El artista, visto a veces por la crítica como un pintor "continuo", siempre fiel a sí mismo en su devenir poético y figurativo, toca en realidad muchas complejas gamas de verdad y situaciones en su moderno y diverso presente.
Toledo, la ciudad en la que el Greco vive y trabaja, presenta, en efecto, una multiplicidad de componentes culturales, espirituales y religiosos; sobre todo continúa siendo la capital religiosa de España en un momento en el que lo viejo y lo nuevo se encuentran también dramáticamente. Allí está el tribunal de la Inquisición y están asimismo los grandes místicos reformadores como santa Teresa de Avila y san Juan de la Cruz. La Iglesia, principal comitente de la ciudad, comenzó en seguida a confiar importantes encargos al Greco que, como ya se ha dicho, se había presentado bien recomendado. Primer encargo, las obras para Santo Domingo el Antiguo, realizadas en veinte meses, a partir de 1577 (n. 21), de importancia fundamental para la introducción en España de los datos de la cultura renacentista fundidos en un estilo totalmente nuevo, en el que luces y colores tienden a derivar del dato naturalista, hacia una dimensión de interior, simbólica trascendencia.
Casi en el mismo momento se sitúa una de las obras maestras absolutas del Greco, que es también una obra nueva en el desarrollo de su lenguaje pictórico: el *Expolio de Cristo* (el *"Expolio"*) [n. 22a]. La obra fue pintada entre 1577 y 1579 para el Capítulo de la catedral, que también había confiado al Greco la estructura arquitectónica y decorativa del altar; por desgracia, como prácticamente para toda la actividad del Greco en estos dos sectores, falta todo testimonio directo habiéndose perdido el altar original.
Núcleo de la composición es Cristo, con la fuerza física y tangible de la monumental vestidura roja, en torno a quien se agolpa una serie continua de personajes muy diversos en la tipología y los ademanes, pero que concurren todos en formar una acción convulsa y cargada; el restringido espacio evidencia el dramatismo de la escena.
A distancia de algunos años encontramos una de las más célebres composiciones sagradas del artista, el *Entierro del conde de Orgaz* (el *"Entierro"*) [n. 47]. Encargada por el párroco de la iglesia de Santo Tomé en Toledo, el cuadro de altar se remonta a una leyenda piadosa del siglo XIV según la cual los santos Agustín y Esteban habían intervenido en las exequias del bienhechor Gonzalo Ruiz, conde de Orgaz, quienes lo depositan en el sepulcro. En el lienzo del Greco asisten al episodio milagroso sacerdotes, prelados y caballeros no-

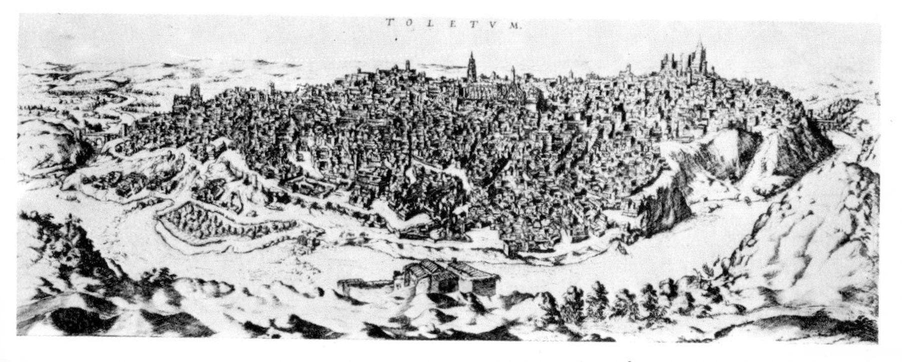

Vista de Toledo, tal como era la ciudad en los tiempos del Greco (compárese en pormenores con la Vista y mapa de Toledo, *n. 143), según un grabado español publicado en 1582 (Madrid, Biblioteca Nacional).*

bles, reunidos en una línea horizontal de cabezas que se destacan con rasgos fisionómicos de personas reales, delimitando la escena del entierro. Por encima se abren los cielos, donde la Virgen, san Juan y numerosos beatos acogen el alma del difunto y la conducen al Salvador. Sobre el horizonte terreno, en el que está presente la variedad de los rangos sociales de relieve, se ve la secuencia celestial, que da sentido y continuidad a la primera. La diferencia de papeles, dimensiones y tonalidades de la parte terrena se conecta con el orden de la secuencia celeste.

Cuando pinta el *Entierro,* entre 1586 y 1588, hace ya tiempo que el Greco es el pintor más famoso de Toledo. Para hacer frente a los numerosos encargos, a partir del último decenio del siglo XVI el artista organizó su taller con lo que hoy se llamaría producción en serie, realizando con propia mano, además de los trabajos más comprometidos, cierto número de temas que servían de modelo a los ayudantes y discípulos, entre los cuales destacaba su hijo Jorge Manuel, en una serie de versiones que suelen hacer muy difícil el problema de las atribuciones.

A partir del *Entierro,* a finales del siglo y más aún a principio del XVII, poco a poco la pintura del Greco supera la composición cada vez más alargada, serpentina y continua, morfológicamente toda fragmentada, pero sintácticamente ligada entre horizonte terreno y cielo. A los últimos años del siglo XVI pertenecen los cuadros pintados para la capilla de San José, en Toledo, modesta capilla carmelitana construida por legado de un bienhechor para la cual el Greco realizó los cuadros y cornisas del altar mayor y los laterales. Dos lienzos para el altar mayor, *San José con el Niño* (n. 92B) y la *Coronación de la Virgen* (n. 92A), todavía se hallan *in loco,* mientras que, para los altares laterales, el *San Martín y el mendigo* (n. 92C) y la *Virgen con el Niño y las santas Martina e Inés* (n. 92D) se encuentran ambos en la National Gallery de Washington. Son obras de una inspiración muy particular, de una vena líricamente melancólica que trasciende de las espirituales imágenes de las dos santas, de la figura protectora y afectuosa de san José, altísimo al lado del Niño sobre el fondo del paisaje de Toledo, y sobre todo por el espléndido san Martín, con la armadura dorada y el caballo lleno de luz. Al fondo, un paisaje nocturno nos trae de nuevo la predilecta imagen de Toledo que el Greco representa más veces en su avanzada madurez, hasta la transfigurada *Vista* del Metropolitan Museum de Nueva York (n. 106a) en la cual la ciudad castellana es único protagonista, en una imagen nocturna cruzada de relámpagos, realizada en dimensión muy libre y, no obstante, verdadera, elevada sobre las rocas y rodeada por el Tajo.

Al mismo tiempo que los cuadros pintados para San José, se le encargó al Greco el único trabajo decorativo para una capilla madrileña, la del Colegio de doña María de Aragón (n. 94A-94C). También aquí, como en muchos otros casos, se le confió la decoración entera del altar, perdida con la destrucción de la capilla en el siglo pasado. Quedan, dispersos en distintos lugares, los tres cuadros (acaso originariamente un tríptico), que se cuentan entre las obras más inspiradas de este momento de plena madurez: el *Bautismo de Cristo,* hoy en el Prado (n. 94C), la *Anunciación,* en el Museo Balaguer en Villanueva y la Geltrú (n. 94B) y la *Adoración de los pastores* en el museo de Bucarest (n. 94A). Temas, los dos primeros, que utilizará de nuevo el artista un decenio más tarde en dos lienzos para el hospital Tavera de Toledo (n. 153A-153C) en los que trabajó hasta su muerte, dejando algunas partes inacabadas.

En los primeros años del siglo XVII el Greco, ya más que sesentón, se entregó a la gran empresa de la iglesia del hospital de la Caridad de Illescas (n. 111A-111E), lugar a mitad de camino entre Toledo y Madrid. El contrato que el artista firmó junto con su hijo Jorge Manuel, lo comprometía en la provisión de la estructura arquitectónica y la decoración escultórica y pictórica de diversos altares. Por desgracia, una vez más el conjunto decorativo se perdió en gran parte en sus aspectos plásticos, y se conservan hoy, en el interior de la iglesia, pero en colocación distinta de la original, los lienzos con la *Anunciación* (n. 111C), la *Natividad* (n. 111D), la *Coronación de la Virgen* (n. 111B), la *Virgen de la Caridad* (n. 111A) y el humanísimo *San Ildefonso* (n. 111E). Imágenes tantas veces repetidas por el Greco y realizadas ahora con tal novedad de soluciones de perspectiva y luz como para dejar perplejos a quienes las encargaron y dar lugar a la última discusión judicial, que se resolvió bastante amargamente, en términos económicos, para el viejo maestro, aunque durante el juicio se le definió como "uno de los más grandes pintores de todos los tiempos".

Con los lienzos de Illescas, seguidos poco

Las dos primeras páginas del inventario de los bienes del artista, redactado por su hijo Jorge Manuel entre el 12 de abril y el 17 de julio de 1614 (Toledo, Archivo de Protocolos).

Pormenor del supuesto Autorretrato *del Greco en edad avanzada (n. 95).*

después, en Toledo, por los dos cuadros de la capilla Oballe en San Vicente (n. 142A-142B) y, a partir de 1610 a 1614, año de su muerte, obras para el hospital Tavera (n. 153A-153C; en el ámbito de estos últimos trabajos se conservan todavía algunos parciales testimonios de la decoración arquitectónica y escultórica proyectada por el artista), nos encontramos con su última producción, la más admirada o vilipendiada, según el gusto de los tiempos.

Las composiciones aparecen ya recorridas por una tensión continua de abajo arriba que parece desligar los cuerpos, mientras que los colores y las luces palpitan a lumbraradas en una materia pictórica densa e incandescente. Este lenguaje que elude las reglas de gravedad, de verosimilitud y también de racionalidad, representa la mortaja de la poética del Greco, la más "diversa", que procede en términos culturales nuevos de la antigua valencia bizantina. En este sentido el Greco no es sencillamente un visionario, es un gran pintor que con sus formas violentamente expresio-

nistas, que niegan el valor de los sentidos ante lo "verdadero" demostrando su inadecuación y su falacia, consigue visualizar el mensaje salvífico de la nueva ortodoxia católica.
Durante más de treinta años la pintura religiosa de Toledo, es decir de la "capital espiritual" de España, fue la del Greco y la de su taller. Una pintura que, operando dentro de la ortodoxia de la Contrarreforma, de la cual la Iglesia española se había erigido baluarte, introduce con una "repropuesta" personalísima los valores de las grandes tradiciones pictóricas bizantina y occidental, "revisadas" y enriquecidas con geniales anticipaciones. En este sentido, y gracias a la propensión común del temperamento del Greco y de la sensibilidad española, compenetrándose en la larga estadía toledana, asumiendo elementos más bien de exaltación que de mesura, su obra señala a España una dirección totalmente distinta del academicismo convencional que era entonces el mayor riesgo de la pintura devocional en sus formas provincianas, de discontinua validez.
El *Quinto sello del Apocalipsis* (n. 153C) es acaso la última obra maestra del pintor cretense que puede relacionarse, como así lo considera la crítica de común acuerdo, con la actividad extrema realizada en el hospital Tavera. El lienzo, que ha llegado a nosotros falto de la parte superior, probablemente destruida, representa un tema nuevo en la pintura del Greco, inspirado en el pasaje del *Apocalipsis* de san Juan, donde el evangelista tiene la visión de los mártires que piden justicia y a quienes se entregan cándidas vestiduras. Vestiduras que en el lienzo del Greco, dominado por la inmensa y excitada figura del santo arrodillado, con los brazos levantados, se convierten en paños fluctuantes y multicolores, abrasados en la luz, mientras que las pequeñas imágenes de los mártires, reculadas hacia el fondo, confirman el interés del último Greco por el estudio del desnudo.
Este interés aparece con dramático y vibrante relieve en el *Laocoonte* (n. 145). También este es un tema nuevo para el artista, que, por otra parte, cierto es que, durante su estancia juvenil en Italia, había conocido el grupo escultórico helenístico, hoy en los Museos Vaticanos, hallado en Roma en 1506. Pero el viejo maestro no parece tener en cuenta la obra famosa, estudiada y copiada por tantos artistas de su tiempo, y da una versión absolutamente autónoma y enigmáticamente moderna del tema, ambientando la dramática escena sobre el fondo real de Toledo. Y aquí es donde la iconografía no propone como personajes cuerpos celestiales, donde el cielo no estalla en tierra, sino donde el horizonte es sólo esa tierra, que la pintura del Greco parece pasar al otro lado de los siglos XVII y XVIII, tocando valores formales sobre los cuales se moverá en términos de realismo y de expresionismo la pintura más próxima a nuestro tiempo, de Géricault y Daumier al joven Picasso.
La cantidad de encargos y la larga fama en el ambiente culto de Toledo son testimonio de un éxito que no pudieron herir las repetidas discusiones con los comitentes respecto a la "estimación" de los trabajos del Greco. Cantado a su muerte por poetas como Góngora ("...el pincel... más suave / que dio espíritu al leño, vida al lino...") y escritores como Hortensio Paravicino, el artista halló amplio consenso hasta muy avanzado el siglo XVII, cuando J. Martínez (*Discursos practicables... de la Pintura*. h. 1675) comenzó a subrayar negativamente su estilo "tan extravagante que hasta hoy no se ha visto cosa tan caprichosa...". Es el comienzo de una crítica desafortunada que se extenderá por todo el siglo XVIII y parte del XIX, singularmente en el ámbito de la crítica académica y sobre todo con respecto a las últimas y más transfiguradas obras. Hasta que de Francia comenzaron a llegar los primeros juicios marcados con la admiración romántica sobre el genio y locura del Greco, por Baudelaire y Th. Gautier. Pero sobre todo pintores de tendencias diversas, españoles y franceses, hasta que, en los comienzos del siglo, la exposición que en 1902 le dedicó el Prado señaló el reconocimiento definitivo por parte de la crítica oficial.

En el *Catálogo* se relacionan las obras auténticas de su mano así como las de atribución más verosímil. Distintas versiones análogas de un mismo tema se agrupan bajo un número único y se distinguen con letras minúsculas. La abreviatura *c.a.* (como arriba) en lugar del título indica la repetición del anterior. Las diversas partes de una misma obra se señalan con la letra mayúscula. El asterisco * que precede o sigue a la fecha indica una correspondiente aproximación.

Catálogo de las pinturas

El Expolio *(n. 22a).*
El tema del lienzo –una de las primeras obras maestras del Greco en Toledo– se refiere al episodio evangélico de Cristo a quien se despoja de sus vestiduras antes de ser crucificado.

1. Adoración de los Magos
Técnica mixta sobre lienzo transportada sobre tabla / 40×45 / 1561-62
Atenas, Museo Benaki.
Atribución.

2. Ultima Cena
Tabla / 43×51 / *1565*
Bolonia, Pinacoteca Nacional.
Abribución.

POLIPTICO DE MODENA
(n. 3A-3F)
Módena, Galería Estense

3A. Anunciación
Temple sobre tabla / 24×18 / firmado / *1467*

3B. Vista del monte Sinaí
Temple sobre tabla / 37×23,8 / firmado / *1567*

3C. Adán y Eva en presencia del Eterno
Temple sobre tabla / 24×18 / *1567*

3D. Adoración de los pastores
Temple sobre tabla / 24×18 / *1567*
Reverso del n. 3C.

3E. Cristo corona a un caballero cristiano
Temple sobre tabla / 37×23,8 / *1567*
Reverso del n. 3B.

3F. Bautismo de Cristo
Temple sobre tabla / 24×18 / *1567*
Reverso del n. 3A.

1

2

3A 3B 3C

3D 3E 3F

La dama del armiño *(n. 25). De manera tradicional se considera el retrato de Jerónima de las Cuevas, compañera del Greco desde los primeros años del período toledano y madre de Jorge Manuel.*

4a. Adoración de los pastores
Temple sobre tabla / 63×76 / *1570*
Frederikssund (Dinamarca), Willumsen Museum.
Atribución.

4b. c.a.
Tabla / 77×64 / 1570
Milán, col. Bonomi.
Versión con variantes.
Atribución.

4c. c.a.
Oleo sobre lienzo / 114×104 / 1570-72
Kettering (Northamptonshire), col. Buccleuch.
Versión con variantes del n. 4a.

5. Los estigmas de san Francisco
Temple sobre tabla / 29×20 / firmado / *1570
Nápoles, Capodimonte.

6. Adoración de los Magos
Técnica mixta sobre tabla / 45×52 / firmado / *1570
Madrid, Museo Lázaro Galdiano.

Alegoría de la Santa Liga *(n. 32a). El tema de la simbólica composición es la victoria de la Santa Liga sobre los turcos en Lepanto, en 1571. En primer término, los protagonistas: Pío V, Felipe II, el dux Alvise Mocenigo y, a la izquierda, con atuendo de guerrero romano, don Juan de Austria.*

4a

4b

5

4c

6

IHS

7a. Piedad
Temple sobre tabla / 29×20 / firmado / 1570-72
Filadelfia, John G. Johnson Collection.

7b. c.a.
Oleo sobre lienzo / 66×48 / 1574-76
Nueva York, Hispanic Society.

8a. Expulsión de los mercaderes del templo
Temple sobre tabla / 65×83 / firmado / 1570-72
Washington, National Gallery of Art (Kress).

8b. c.a.
Oleo sobre lienzo / 117×150 / firmado / 1570-75
Minneapolis, Institute of Arts.

9. Cristo en casa de Marta y María
Tabla / 33×38 / 1572 (?)
Galveston (Texas) (?), col. part.
Atribución.

7a

8a

Martirio de san Mauricio *(n. 36). Lienzo destinado a una capilla del Escorial dedicada al santo e inspirado probablemente en un pasaje de la* Leyenda Aurea *de Jacopo da Voragine, relativo al martirio del santo*

9

10. La huida a Egipto
Técnica mixta sobre tabla / 17×21 / *1572* (?)
Basilea, col. Hirsch.

11. Retrato de Giulio Clovio
Oleo sobre lienzo / 58×86 / firmado / *1572*
Nápoles, Capodimonte.

12. Retrato de Giambattista Porta
Oleo sobre lienzo / 116×98 / firmado / *1572*
Copenhague, Statens Museum for Kunst.

13a. Anunciación
Temple sobre tabla / 26×20 / *1575*
Madrid, Prado.

13b. c.a.
Oleo sobre lienzo / 107×93
Barcelona, col. Muñoz.

13c. c.a.
Oleo sobre lienzo / 117×98
Florencia, col. Contini Bonacossi.
Versión con variantes del n. 13a.

10

11

12

13a

Virgen con el Niño, santa Ana y san Juan niño *(n. 41a). Pintado probablemente entre 1580 y 1585, el lienzo nos presenta el tradicional tema religioso con un planteamiento iconográfico sobre el que se insistirá decenios más tarde en el lienzo del Prado (n. 86a).*

El Entierro *(n. 47).*
El tema de la composición se inspira en una leyenda piadosa del siglo XIV*, según la cual los santos Agustín y Esteban intervinieron personalmente en el entierro del bienhechor Gonzalo Ruiz, conde de Orgaz.*

El Entierro *(n. 47; det.).*
Un ángel acompaña al cielo el alma del conde de Orgaz. Entre los santos que lo acogen e interceden por él está el Bautista (a la derecha) arrodillado y mirando a las alturas en las que resplandece la figura del Salvador.

14a. Cristo cura al ciego
Oleo sobre lienzo / 50×61 / firmado / 1572-76
Parma, Pinacoteca Nacional.

14b. c.a.
Técnica mixta sobre tabla / 66×84
Dresde, Gemäldegalerie.
Versión con variantes.

15a. Muchacho encendiendo una candela (El soplón)
Oleo sobre lienzo / 61×51 / firmado / *1575*
Manhasset (Nueva York), col. Payson.

15b. c.a.
Oleo sobre lienzo / 59×51
Nápoles, Capodimonte.

16. Entierro de Cristo
Técnica mixta sobre tabla / 36,5×28 / *1576* (?)
París, col. Broglio.

17a. La Magdalena penitente
Oleo sobre lienzo / 107×102 / firmado / *1577*
Worcester, Art Museum

17b. c.a.
Oleo sobre lienzo / 104×85
Kansas City (Missouri), W. Rockhill Nelson Gallery of Art.

18a. Mono, muchacho encendiendo una candela y hombre (Fábula)
Oleo sobre lienzo / 50×64 / 1577* (?)
Río de Janeiro, col. von Watsdorf.
Probablemente reducido, especialmente por la derecha.

18b. c.a.
Oleo sobre lienzo / 65×90 / firmado / 1577-78
Londres, col. Harewood.

14

14b

15a

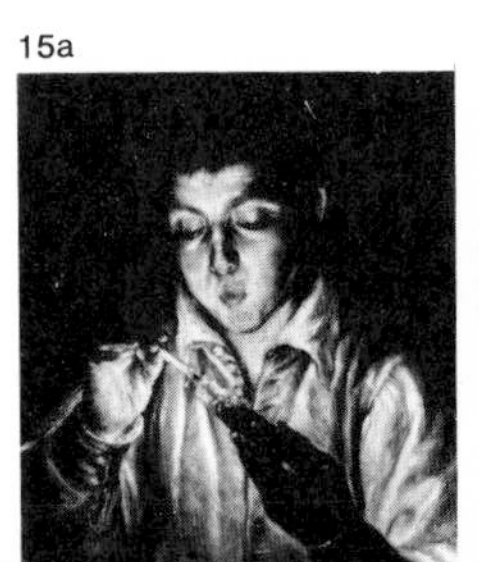

16

El Entierro *(n. 47; det.). En la zona inferior del cuadro aparece, en el fondo de las cabezas de los personajes notables presentes en el prodigio, de espaldas, con el rostro vuelto y los ojos fijos en la altura, abiertas las manos, la figura de un eclesiástico identificado como Pedro Ruiz Durón, mayordomo de fábrica de la iglesia de Santo Tomé.*

19. Cristo cura al ciego
Oleo sobre lienzo / 120×146 / *1577-78*
Nueva York, col. Wrightsman.
Presenta algún pormenor incompleto en la zona de la izqueirda.

20a. Santa Verónica con el velo
Oleo sobre lienzo / 105×108 / firmado / 1577-78
Madrid, col. Caturla.

20b. c.a.
Oleo sobre lienzo / 84×91
Toledo, Museo de Santa Cruz.
Probable intervención del taller.

OBRAS PARA SANTO DOMINGO EL ANTIGUO EN TOLEDO
(n. 21A-21I)

21A. La Trinidad
Oleo sobre lienzo / 300×178 / 1577-79
Madrid, Prado.

21B. La Verónica (La Santa Faz)
Oleo sobre tabla / 76×55 / 1577-79
Madrid, col. Servera.

21C. San Bernardo
Oleo sobre lienzo / 113×75 / 1577-79
Antes propiedad de Simon Oppenheimer; perdido.

21D. San Benito
Oleo sobre lienzo / 116×80 / 1577-79
Madrid, Prado.

21E. San Juan Bautista
Oleo sobre lienzo / 242×78 / 1577-79
Toledo, iglesia de Santo Domingo el Antiguo.

21F. La Asunción
Oleo sobre lienzo / 401×229 / firmado y fechado / 1577
Chicago, Art Institute.

El Entierro *(n. 47; det.).*
En el centro de la zona inferior, magnífico fragmento de la pintura, punto de apoyo del lienzo, en el que aparece con el rostro céreo el difunto sostenido por san Agustín con espléndidas vestiduras episcopales.

17a

17b

18a

19

20a

21G. San Juan Evangelista
Oleo sobre lienzo / 212×78 / 1577-79
Toledo, iglesia de Santo Domingo el Antiguo.

21H. Adoración de los pastores
Oleo sobre lienzo / 210×128 / 1577-79
Santander, col. Botín Sanz.

21I. Resurrección
Oleo sobre lienzo / 210×128 / 1577-79
Toledo, iglesia de Santo Domingo el Antiguo.

22a. El Expolio
Oleo sobre lienzo / 285×173 / firmado / 1577-79
Toledo, catedral.

22b. c.a.
Temple sobre tabla / 56×32 / firmado
Florencia, col. Contini Bonacossi.

22c. c.a.
Temple (?) sobre tabla / 55×33 / firmado / *1580*
Upton House (Warwickshire), National Trust.

22d. c.a.
Oleo sobre lienzo / 165×99 / 1580-85*
Munich, Alte Pinakothek.

22e. c.a.
Oleo sobre tabla / 72×44
Nueva York, col. Moser.

22f. c.a.
Oleo sobre lienzo / 46×58 / 1581-86
Lyon, Musée des Beaux-Arts.
Réplica parcial derivada del n. 22d.

22g. c.a.
Oleo sobre lienzo / 136×162 / *1580*
Bilbao, col. Delclaux.
Réplica parcial.

21A

21B

21D

21C

21E

21F

Cristo crucificado, con dos donantes *(n. 48).*
Es una de las primeras versiones del tema que se conocen del artista y la única en que aparecen, abajo, las figuras de los donantes.

ΟΒΑΣΙΛΕΥΣΤΩΝ
ΙΟΥΔΑΙΩΝ

23. San Antonio de Padua
Oleo sobre lienzo / 104×79 / firmado / 1577-79*
Madrid, Prado.

24. San Sebastián
Oleo sobre lienzo / 191×152 / firmado / 1577-78
Palencia, catedral.

25. La dama del armiño
Oleo sobre lienzo / 62×50 / 1577-78
Glasgow, Museum and Art Galleries (Maxwell MacDonald).

26a. San Francisco en éxtasis
Oleo sobre lienzo / 89×57 / 1577-80*
Madrid, Museo Lázaro Galdiano.

26b. c.a.
Oleo sobre lienzo / 87×60 / firmado / 1577-80*
Nueva York, col. Wildenstein.
Versión con variantes.

27. Retrato de Pompeo Leoni (?)
Oleo sobre lienzo / 92×86 / 1577-80 (?)
Antes en Nueva York, col. Rosenberg y Stiebel.
Atribución.

28. Retrato de Vincentio Anastagi
Oleo sobre lienzo / 188×126 / firmado / 1578-80
Nueva York, Frick Collection.

29. El caballero de la mano en el pecho
Oleo sobre lienzo / 81×66 / firmado / 1578-80*
Madrid, Prado.

30. San Pablo
Oleo sobre lienzo / 118×91 / firmado / 1578-80*
San Sebastián, col. marquesa de Narros.

31. Aparición de la Virgen con el Niño a san Lorenzo
Oleo sobre lienzo / 119×102 / 1578-80*
Monforte de Lemos (Lugo), Colegio de la Compañía.

21G

21H

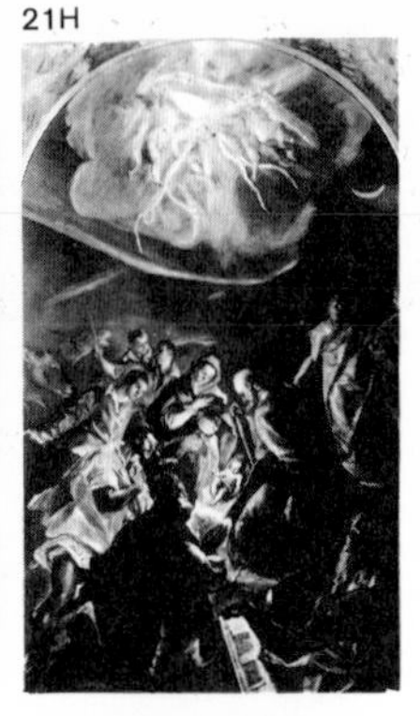

21I

22a

23

24

25

Las lágrimas de san Pedro *(n. 56e). Es una de las versiones autógrafas de un tema devocional que lleva el sello de la Contrarreforma y sobre el cual insiste el artista en varias ocasiones. Se conocen también copias del taller.*

32a. Alegoría de la Santa Liga (El sueño de Felipe II)
Oleo sobre lienzo / 140×110 / firmado / *1579
El Escorial, monasterio.

32b. c.a.
Oleo sobre tabla / 58×35 / firmado
Londres, National Gallery.
Estudio para el n. 32a.

33a. La Magdalena penitente
Oleo sobre lienzo / 156,5×121 / *1580
Budapest, Szépwüvészeti Múzeum.

33b. c.a.
Oleo sobre tabla / 60×45
Barcelona, col. Sala Ardiz.

34. Retrato de dama
Oleo sobre tabla / 40×32 / 1577-80
Filadelfia, John G. Johnson Collection.

35. Cristo muerto sostenido por José de Arimatea, con la Virgen y la Magdalena (Piedad)
Oleo sobre lienzo / 120×145 / firmado / 1578-83
París, col. Niarchos.

36. Martirio de san Mauricio
Oleo sobre lienzo / 448×301 / firmado / 1580-82
El Escorial, monasterio.

37. Retrato de caballero de la casa de Leiva (Caballero de la orden de Santiago)
Oleo sobre lienzo / 88×69 / 1580*
Montreal, Museum of Fine Arts.

38. San Luis Gonzaga (?)
Oleo sobre lienzo / 74×75 / 1580-85
Santa Bárbara (California), col. Converse.

39. Retrato de caballero
Oleo sobre lienzo / 66×55 / 1580-85
Madrid, Prado.

Santo Domingo en oración *(n. 61a). Es una de las primeras versiones autógrafas de un tema muy querido por la devoción en el clima de la Contrarreforma. Se le considera entre los mejores ejemplares.*

26a

26b

27

28

29

30

31

40. La Inmaculada Concepción contemplada por san Juan Evangelista
Oleo sobre lienzo / 236×118 / firmado / 1580-85
Toledo, Museo de Santa Cruz.

41a. La Virgen con el Niño, santa Ana y san Juan niño
Oleo sobre lienzo / 178×105 / firmado / 1580-85
Toledo, Museo de Santa Cruz.

41b. c.a.
Oleo sobre lienzo / 90×80 / 1580-85*
Hartford (Connecticut), Wadsworth Atheneum.
Falta la parte inferior del lienzo, con san Juan niño.

42. Sagrada Familia
Oleo sobre lienzo / 106×88 / 1585-90
Nueva York, Hispanic Society.

43a. San Francisco de pie, en meditación
Oleo sobre lienzo / 116×102 / firmado / 1580-90
Omaha (Nebraska), Joslyn Art Museum.

43b. c.a.
Oleo sobre lienzo / 103×87 / firmado / 1585-90
Barcelona, col. Torelló.

44. Julián Romero de las Azañas y san Julián (Julián Romero y su santo patrono)
Oleo sobre lienzo / 207×127 / 1585-90
Madrid, Prado.

45. Retrato de Rodrigo de la Fuente (El médico)
Oleo sobre lienzo / 93×84 / firmado / 1585-89
Madrid, Prado.

46. Retrato de caballero anciano
Oleo sobre lienzo / 44×42 / firmado / 1585-90
Madrid, Prado.

47. Entierro del conde de Orgaz
Oleo sobre lienzo / 460×360 / firmado / 1586-88
Toledo, iglesia de Santo Tomé.

33a

32a

34

35

Sagrada Familia con santa Ana *(n. 73a). El grupo de la Sagrada Familia lo encontramos en distintos momentos de la pintura del Greco, constituyendo una pausa de inspiración más serena, fijada en la humanísima figura de la Virgen.*

48. Cristo crucificado, y dos donantes
Oleo sobre lienzo / 250×180 / firmado / 1585-90
París, Louvre.

49. Magdalena penitente
Oleo sobre lienzo / 109×96 / firmado / 1585-90
Sitges, Museo del Cau Ferrat.

50. Retrato de Rodrigo Vázquez
Oleo sobre lienzo / 62×40 / 1585-90
Madrid, Prado.

51a. Los estigmas de san Francisco
Oleo sobre lienzo / 108×83 / firmado / 1585-90
Madrid, col. marqués de Pidal.

51b. c.a.
Oleo sobre lienzo / 101×76
El Escorial, monasterio.

51c. c.a.
Oleo sobre lienzo / 104×80
Estocolmo, col. Sachs.
Atribución.

51d. c.a.
Oleo sobre lienzo / 122×104
Antes en La Haya, col. Bachstitz.

51e. c.a.
Oleo sobre lienzo / 114×105 / 1580-90
Dublín, National Gallery of Ireland.

51f. c.a.
Oleo sobre lienzo / 141×110 / 1580-86
San Sebastián, Museo Municipal de San Telmo.

51g. c.a.
Oleo sobre lienzo / 57×44
Bilbao, Museo de Bellas Artes.
Réplica limitada al busto del santo.

Cristo crucificado, con la Virgen, la Magadalena, san Juan Evangelista y ángeles *(n. 75).*
La obra se remonta al último decenio del siglo XVI y es un magnífico ejemplo del sentido innovador del estilo del Greco en la interpretación del tradicional tema religioso.

36

37

38

39

40

41a

IESVS NAZARE
NVS REX IVDEOR

Oración en el huerto *(n. 78a). El episodio evangélico está representado según unas características de síntesis y alargamiento: en el hueco de una roca, casi excavado en la vestidura del ángel, duermen los apóstoles. Lejos, detrás de Cristo en oración, personajes armados.*

52a. Mater dolorosa
Oleo sobre lienzo / 62×42 / 1585-90
Berlín, Staatliche Museum.

52b. c.a.
Oleo sobre lienzo / 63×48
Lugano, col. Thyssen.

53a. Despedida de Cristo de la Virgen
Oleo sobre lienzo / 109×99 / 1585-90
Groton (Mass.), col. Danielson.

53b. c.a.
Oleo sobre lienzo / 24×21 / 1590*
Antes en Sinaia (Rumania), palacio real.

53c. c.a.
Oleo sobre lienzo / 100×118
Amsterdam, Museum Boymans-van Beuningen.
Versión con variantes del n. 53a.

54a. Cristo crucificado
Oleo sobre lienzo / 177×105 / 1585-95
Zumaya, col. Zuloaga.

54b. c.a.
Oleo sobre lienzo / 178×104 / 1585-95
Sevilla, col. marqués de la Montilla.

54c. c.a.
Oleo sobre lienzo / 193×116 / 1600-10
Cleveland (Ohio), Museum of Art.

54d. c.a.
Oleo sobre lienzo / 208×102 / 1600-10
Filadelfia, Museum of Art (Wilstach).

54e. c.a.
Oleo sobre lienzo / 95×61 / firmado (?)
Nueva York, col. Wildenstein.

55. San Luis de Francia y un paje
Oleo sobre lienzo / 117×95 / 1585-90
París, Louvre.

Virgen con el Niño y las santas Martina e Inés
(n. 92D). El lienzo pertenece al conjunto de obras pintadas por el Greco en los últimos años del siglo XVI para la pequeña capilla toledana de San José, construida por legado de un devoto, el mercader Martín Ramírez.

42

43a

44

45

46

47

Autorretrato (?) *(n. 95). Tradicionalmente se identifica como un autorretrato del artista en edad avanzada, y es sin duda uno de los ejemplares más extraordinarios de su actividad como retratista.*

Retrato del cardenal Niño de Guevara *(n. 97a). Es la imagen austera y poderosa de uno de los más eminentes personajes de la Iglesia española de la época, ya arzobispo de Toledo y luego Gran Inquisidor.*

56a. Las lágrimas de san Pedro
Oleo sobre lienzo / 106×88 / firmado / 1585-90
Barnard Castle (Durham), Bowes Museum.

56b. c.a.
Oleo sobre lienzo / 122×102 / firmado / 1590
San Diego (California), Fine Arts Gallery.

56c. c.a.
Oleo sobre lienzo / 94×76 / *1600*
Washington, Phillips Memorial Gallery.

56d. c.a.
Oleo sobre lienzo / 100×96 / *1600*
Toledo, catedral (sacristía).

56e. c.a.
Oleo sobre lienzo / 102×84 / firmado / 1605*
Toledo, hospital Tavera. Con variantes.

56f. c.a.
Oleo sobre lienzo / 102×80 / firmado / 1610*
Oslo, Nasjonalgalleriet.

APOSTOLADO HENKE
(n. 57A-57M)

57A. El Redentor
Oleo sobre lienzo / 62×50 / 1586-90*
Beverly Hills (California), col. J. Iturbi.

57B. San Andrés
Oleo sobre lienzo / 62×50 / 1586-90*
Washington, Corcoran Gallery of Art.

57C. San Bartolomé (?)
Oleo sobre lienzo / 62×50 / 1586-90
Obra destruida (1590).

57D. Santiago el Mayor
Oleo sobre lienzo / 62×50 / 1586-90*
Paradero desconocido.

San Juan Bautista *(n. 105a). Se remonta a los primeros años del siglo XVII y la crítica, unánimemente, lo considera entre los mejores ejemplares del tema, que se repite varias veces en la producción del artista.*

48

49

50

51a

52a

53a

54a

57E. Santiago el Menor
Oleo sobre lienzo / 62×50 / 1586-90*
Glens Falls (Nueva York), col. L. F. Hyde.

57F. San Juan Evangelista
Oleo sobre lienzo / 62×50 / 1586-90*
Antes en Amsterdam, col. De Boer.

57G. San Judas Tadeo
Oleo sobre lienzo / 62×50 / 1586-90
Beverly Hills (California), col. J. Iturbi.

57H. San Mateo
Oleo sobre lienzo / 62× 50 / 1586-90*
Indianapolis, col. W. Herrington.

57I. San Pablo
Oleo sobre lienzo / 62×50 / 1586-90*
Sarasota (Florida), Ringling Museum.

57i. c.a.
Oleo sobre lienzo / 70×56 / firmado / 1598-1600
Saint Louis (Missouri), City Art Museum.
Réplica. *Pendant* del n. 132.

57J. San Pedro
Oleo sobre lienzo / 62×50 / 1586-90
Holliwood, col. L. Meyer.

57K. San Felipe
Oleo sobre lienzo / 62×50 / 1586-90*
Nueva York, col. I. Brenner.

57L. San Simón
Oleo sobre lienzo / 62×50 / 1586-90*
Boston, col. E. H. Abbott jr.

57M. Santo Tomás
Oleo sobre lienzo / 62×50 / 1586-90
Johannesburg, Art Gallery.

58a. Santiago el Mayor, peregrino
Oleo sobre lienzo / 123×70 / *1580-95*
Toledo, Museo de Santa Cruz.

58b. c.a.
Oleo sobre lienzo / 62×32 / firmado / 1580-1600
Nueva York, Hispanic Society.

55

56a

57A

57B

57E

57F

57H

57I

Vista de Toledo *(106a). La ciudad castellana, amurallada y sobre rocas, con el Tajo discurriendo abajo, es la protagonista de este paisaje del Greco, llevado a un clima de misterioso dramatismo.*

59. San Agustín
Oleo sobre lienzo / 140×56 / *1580-95*
Toledo, Museo de Santa Cruz.

60a. Los estigmas de san Francisco
Oleo sobre lienzo / 107×87 / firmado / *1585-95*
El Escorial, monasterio.
El lienzo fue reducido.

60b. c.a.
Oleo sobre lienzo / 102×97 / firmado
Baltimore, Walters Art Gallery.

61a. Santo Domingo en oración
Oleo sobre lienzo / 118×86 / firmado / 1585-95 (?)
Madrid, col. J. Urquijo Chacón.

61b. c.a.
Oleo sobre lienzo / 120×88 / firmado / 1585-1603
Toledo, catedral (sacristía).

61c. c.a.
Oleo sobre lienzo / 105×83 / firmado / 1600-10
Boston, Museum of Fine Arts.
Réplica con pocas variantes.

61d. c.a.
Oleo sobre lienzo / 73×57 / 1590-1610
Florencia, col. Contini Bonacossi.
Con colaboraciones.

62. Coronación de la Virgen
Oleo sobre lienzo / 90×100 / firmado / 1590*
Madrid, Prado.

63. Retrato de Manusso Theotocopulos (?)
Oleo sobre lienzo / 47×39 / 1591* (?)
Florencia, col. Contini Bonacossi.

San Bernardino *(n. 110). Pintado en los comienzos del siglo XVII para la capilla del Colegio de San Bernardino de Toledo, se le considera representativo del desarrollo estilístico del Greco en este momento de su madurez.*

57M

58a

59

60a

61a

61b

Anunciación *(n. 111C). Pertenece también al conjunto realizado para la iglesia de Illescas en los primeros años del siglo XVII. La perspectiva, común también en la tabla siguiente, hace suponer que esta obra, de excepcional libertad pictórica, por su forma circular estaba destinada en principio a decorar la bóveda del presbiterio.*

Virgen de la Caridad *(n. 111A). Pintada para la iglesia del hospital de la Caridad de Illescas. Entre los personajes acogidos bajo el manto de la Virgen, está, a la derecha, el hijo del artista, Jorge Manuel.*

OBRAS PARA LA IGLESIA DE TALAVERA LA VIEJA
(n. 64A-64C)
Toledo, Museo de Santa Cruz

64A. Coronación de la Virgen
Oleo sobre lienzo / 105×80 / 1591-92
Con colaboraciones.

64B. San Andrés
Oleo sobre lienzo / 126×46 / 1591-92
Con colaboraciones.

64C. San Pedro
Oleo sobre lienzo / 125×46 / 1591-92
Con colaboraciones.

65a. San Francisco en éxtasis
Oleo sobre lienzo / 75×57 / *1590-95*
Pau, Musée des Beaux-Arts.
Con colaboraciones.

65b. c.a.
Oleo sobre lienzo / 110×87 / firmado
Toledo, col. conde de Guendulain y del Vado.
Con colaboraciones.

66. Cristo crucificado, con la Virgen, un donante y san Juan Evangelista
Oleo sobre lienzo / 174×111 / 1590-95 (?)
Martín Muñoz de las Posadas (Segovia), iglesia parroquial.

67. Natividad de la Virgen
Oleo sobre lienzo / 62×35,5 / 1590-95
Zurich, fundación Bührle.

68a. Cabeza de Cristo
Oleo sobre lienzo / 61×41 / firmado / 1590-95
Praga, Národní Galerie.

68b. c.a.
Oleo sobre lienzo / 50×39 / 1585-90
San Antonio (Texas), McNay Art Institute.

68c. c.a.
Oleo sobre lienzo / 62×47 / 1590*
San Sebastián, Museo Municipal de San Telmo.

62

64A

65a

63

64B

64C

Nativided *(n. 111D).*
Es la otra forma circular que, junto con el n. 111C, flanqueaba probablemente en principio el gran óvalo con la Coronación de la Virgen *(n. 111B) en la bóveda del presbiterio de la iglesia de Illescas.*

69a. Cristo con la cruz a cuestas
Oleo sobre lienzo / 105×79 / firmado / 1590-95
Nueva York, col. Lehman.

69b. c.a.
Oleo sobre lienzo / 111×72 / 1590-95
París, col. Gutzwiller.

69c. c.a.
Oleo sobre lienzo / 81×59 / firmado / 1590-95
Buenos Aires, Museo Nacional de Arte Decorativo.
Réplica reducida del n. 69a.

69d. c.a.
Oleo sobre lienzo / 48×38 / firmado / 1590-95
Cuenca, Tesoro de la catedral.
Probablemente reducido por los cuatro lados.

69e. c.a.
Oleo sobre lienzo / 105×67 / firmado / 1590-95
Barcelona, Museo de Arte de Cataluña.

69f. c.a.
Oleo sobre lienzo / 115×71 / firmado (?) / *1591
Antes en Sinaia (Rumania), palacio real.

69g. c.a.
Oleo sobre lienzo / 53× 38 / firmado / 1590-95
Atenas, Pinacoteca Nacional.

69h. c.a.
Oleo sobre lienzo / 104×78 / firmado / 1590-1605
Madrid, Prado.

69i. c.a.
Oleo sobre lienzo / 94×78 / firmado / 1600*
Olot (Gerona), iglesia de San Esteban.

69j. c.a.
Oleo sobre lienzo / 101×80 / firmado / 1600*
El Bonillo (Albacete), iglesia parroquial de Santa Catalina.

69k. c.a.
Oleo sobre lienzo / 63×48 / Cambridge (Mass.), Fogg Art Museum.

San Ildefonso *(n. 111E). Colocado sobre el altar de la izquierda en la iglesia de Illescas, la imagen refleja con valores de retrato el carácter espiritual y humanísimo del personaje.*

66

67

68a

69

70a

70b

70c

70a. Cristo con la cruz a cuestas
Oleo sobre lienzo / 65× 53 / firmado / 1590-95
Nueva York, Brooklyn Museum.

70b. c.a.
Oleo sobre lienzo / 67×50 / firmado
Getafe (Madrid), col. Mengs.

70c. c.a.
Oleo sobre lienzo / 23×18 / 1600*
Indianapolis, G.H.A. Clowes Foundation.
Réplica reducida del n. 70a.

70d. c.a.
Oleo sobre lienzo / 66×52,5 / firmado / 1600*
Lugano, col. Thyssen.

71. Retrato de mujer joven
Oleo sobre lienzo / 50×42 / firmado / *1582-1600*
Londres, Warwick House, col. Rothermere.

72. Retrato de Gaspar de Quiroga
Oleo sobre lienzo / 64×51 / *1594*
Antes en Munich, col. Böhler.

73a. Sagrada Familia con santa Ana
Oleo sobre lienzo / 127×106 / *1595*
Toledo, hospital Tavera.

73b. c.a.
Oleo sobre lienzo / 138×103,5
Budapest, Szépmüvészeti Múzeum.

74. Los santos Andrés y Francisco
Oleo sobre lienzo / 167×113 / firmado / *1590-1600*
Madrid, Prado.

75. Cristo crucificado, con la Virgen, la Magdalena, san Juan Evangelista y ángeles
Oleo sobre lienzo / 312×169 / firmado / 1590-1600
Madrid, Prado.

Visión de san Francisco *(n. 114a). El tema, repetido varias veces con variantes, tanto por el artista como por su taller, representa la visión de una antorcha llameante que, según las* Florecillas, *tuvo el santo en presencia del hermano León.*

71

72

73a

74

75

76

76. San Andrés
Oleo sobre lienzo / 110×65 / *1590-1600*
Nueva York, Metropolitan Museum.

77. Retrato de caballero
Oleo sobre lienzo / 51×33 / 1590-1600 (?)
Antes en la col. Wertheimer.

78a. Oración en el huerto
Oleo sobre lienzo / 102×114 / firmado / 1590-98
Toledo (Ohio), Museum of Art.

78b. c.a.
Oleo sobre lienzo / 102×131 / 1590-1600
Londres, National Gallery.

78c. c.a.
Oleo sobre lienzo / 100×143 / 1605-14
Bilbao, col. F. Valdés Izaguirre.
El lienzo fue cortado.

79. Sagrada Familia con la Magdalena
Oleo sobre liezzo / 113×100 / *1590-1600*
Cleveland, Museum of Art.

80a. La Virgen
Oleo sobre lienzo / 52×36 / firmado / 1594-1600
Estrasburgo, Musée des Beaux-Arts.

80b. c.a.
Oleo sobre lienzo / 52×41 / firmado / 1594-1600
Madrid, Prado.

81. Cabeza de hombre (Santiago el Menor ?)
Oleo sobre lienzo / 49,5×42,5 / *1595-1600*
Budapest, Szépmüvészeti Múzeum.

82. Santiago el Mayor, peregrino
Oleo sobre lienzo / 43×37 / *1595-1600*
Nueva York, Hispanic Society.

83a. Expulsión de los mercaderes del templo
Oleo sobre lienzo / 42×53 / 1595-1605
Nueva York, Frick Collection.

83b c.a.
Oleo sobre lienzo / 106×130 / 1600-10
Londres, National Gallery.

77

78a

79

80a

80b

81

82

El Redentor *(n. 116A).*
El lienzo, que pertenece al Apostolado *de la catedral de Toledo, es una de las versiones cualitativamente más importantes del tema, para el cual el artista se remonta con evidencia a la tradicional iconografía bizantina.*

84a. San Francisco en éxtasis
Oleo sobre lienzo / 101×89 / firmado / 1580-1614 (?)
Madrid, col. C. Blanco Soler.
Con colaboraciones.

84b. c.a.
Oleo sobre lienzo / 50×40 / 1605-14
Madrid, col. F. Araoz.

84c. c.a.
Oleo sobre lienzo / 109×79 / firmado
Montreal, Museum of Fine Arts.
Atribución.

85a. San Jerónimo ataviado como cardenal
Oleo sobre lienzo / 111×96 / firmado / 1584-1610 (?)
Nueva York, Frick Collection.

85b. c.a.
Oleo sobre lienzo / 30×24 / 1600-10
Bayona, Musée Bonnat.
Réplica limitada al busto del santo.

85c. c.a.
Oleo sobre lienzo / 108×87 / 1600-10
Nueva York, col. Lehman.

85d. c.a.
Oleo sobre lienzo / 59×48 / 1575-1600
Londres, National Gallery.
Con colaboraciones.

86a. Sagrada Familia con santa Ana y san Juan niño
Oleo sobre lienzo / 107×69 / firmado / 1590-1600
Madrid, Prado.

86b. c.a.
Oleo sobre lienzo / 52×33 / *1600*
Washington, National Gallery of Art (Kress).

87. Los santos Pedro y Pablo
Oleo sobre lienzo / 120×92 / 1590-1600
Barcelona, Museo de Arte de Cataluña.

88. Santo Domingo en oración en su celda
Oleo sobre lienzo / 57×57 / firmado / *1590-1600*
Newport (Rhode Island), col. J. Nicholas Brown.
Con colaboraciones.

83a

83b

84a

84b

85a

85b

San Lucas *(n. 116H). La intensa imagen del santo, interpretada por algunos estudiosos como un autorretrato, pertenece también al* Apostolado *de la catedral de Toledo.*

89a. San Francisco arrodillado en meditación
Oleo sobre lienzo / 147×105 / firmado / 1595-1600
San Francisco, M. H. de Young Memorial Museum.

89b. c.a.
Oleo sobre lienzo / 105×86 / firmado
Bilbao, Museo de Bellas Artes.

89c. c.a.
Oleo sobre lienzo / 93×74 / firmado / 1595-1604
Chicago, Art Institute.

89d. c.a.
Oleo sobre lienzo / 121×93 / firmado / 1585-1604
Lille, Palais des Beaux-Arts. Cortado por los cuatro lados.

90. San Juan Evangelista
Oleo sobre lienzo / 90×77 / *1595-1604*
Madrid, Prado.

91. El Redentor
Oleo sobre lienzo / 72×57 / firmado / 1596-1600
Edimburgo, National Gallery of Scotland.

OBRAS PARA LA CAPILLA DE SAN JOSE, TOLEDO (n. 92A-92D)

92A. Coronación de la Virgen
Oleo sobre lienzo / 120×147 / 1597-99
Toledo, capilla de San José.

92B. San José con el Niño
Oleo sobre lienzo / 289×147 / firmado / 1597-99
Toledo, capilla de San José.

92b. c.a.
Oleo sobre lienzo / 109×56 / firmado / 1595-99
Toledo, Museo de Santa Cruz.
Quizás estudio preparatorio para el n. 92B.

92C. San Martín y el mendigo
Oleo sobre lienzo / 193×103 / firmado / 1597-99
Washington, National Gallery of Art (Widener).

92D. La Virgen con el Niño y las santas Martina e Inés
Oleo sobre lienzo / 193×103 / firmado / 1597-99
Washington, National Gallery of Art (Widener).

86a

86b

87

88

89a

90

91

89b

San Mateo *(n. 116I).*
Está considerado entre las pinturas más vigorosas e inspiradas del Apostolado *de la catedral de Toledo, al cual pertenece.*

93a. San Jerónimo penitente
Oleo sobre lienzo / 104×97 / *1595-1600*
Edimburgo, National Gallery of Scotland.

93b. c.a.
Oleo sobre lienzo / 105×90 / 1587-1600*
Madrid, col. marqués de Santa María de Silvela y de Castañar.
Pendant del n. 107.

93c. c.a.
Oleo sobre lienzo / 80×65 / firmado / 1600-10
Nueva York, Hispanic Society.

OBRAS PARA EL COLEGIO DE DOÑA MARIA DE ARAGON EN MADRID
(n. 94A-94C)

94A. Adoración de los pastores
Oleo sobre lienzo / 346×137 / firmado / 1597-1600
Bucarest, Muzeul de Artă al Republicij Socialiste Romania.

94a. c.a.
Oleo sobre lienzo / 111×47
Roma, Galería Nacional del Palacio Barberini.
Réplica del n. 94A. *Pendant* del n. 94c.

94B. Anunciación
Oleo sobre lienzo / 315×174 / firmado / 1597-1600
Villanueva y Geltrú, Museo Balaguer (depósito del Prado).

94b. c.a.
Oleo sobre lienzo / 114×67 / firmado
Lugano, col. Thyssen.
Estudio para el n. 94B.
Cortado por abajo.

94 b[1]. c.a.
Oleo sobre lienzo / 110×65
Bilbao, Museo de Bellas Artes.
Réplica del n. 94B.

94C. Bautismo de Cristo
Oleo sobre lienzo / 350×144 / firmado / 1597-1600
Madrid, Prado.

94c. c.a.
Oleo sobre lienzo / 111×47
Roma, Galería Nacional del Palacio Barberini.
Réplica del n. 94C.
Pendant del n. 94a.

92A

92B

92C

92D

93a

93b

Adoración de los pastores *(n. 119a). Un grabado de 1605, que reproduce fielmente la libre y transfigurada interpretación del tema sacro, constituye una segura referencia cronológica para el cuadro, tema repetido más tarde en la réplica autógrafa del Metropolitan Museum de Nueva York.*

95. Autorretrato (?)
Oleo sobre lienzo / 59×46 / *1590-1600*
Nueva York, Metropolitan Museum (Rogers).

96. Retrato de caballero
Oleo sobre lienzo / 74×74 / firmado / 1592-1603*
Glasgow, Pollok House, Museum and Art Galleries (Stirling Maxwell).
Cortado por los cuatro lados.

97a. Retrato del cardenal Niño de Guevara
Oleo sobre lienzo / 171×108 / firmado / 1596-1600
Nueva York, Metropolitan Museum (Havemeyer).

97b. c.a.
Oleo sobre lienzo / 74×51 / firmado
Winterthur, col. Reinhart.
Réplica parcial.

98a. Alegoría de la Orden de los Camaldulenses
Oleo sobre lienzo / 138×108 / 1597*
Valencia, Colegio del Patriarca.
Con colaboraciones.

98b. c.a.
Oleo sobre lienzo / 124×90
Madrid, Instituto de Valencia de Don Juan.
Con colaboraciones.

99. Retrato de Alonso de Herrera
Oleo sobre lienzo / 79×64 / *1595-1605*
Amiens, Musée de Picardie.

100a. Retrato de Antonio de Covarrubias
Oleo sobre lienzo / 65×52 / firmado / 1600*
París, Louvre.

100b. c.a.
Oleo sobre lienzo / 67×55 / firmado / *1600*
Toledo, Museo del Greco.

101. Retrato de Diego de Covarrubias
Oleo sobre lienzo / 67×55 / 1600*
Toledo, Museo del Greco.
Con colaboraciones.

102. Retrato de Jorge Manuel Theotocopulos
Oleo sobre lienzo / 81×56 / firmado / 1600-05
Sevilla, Museo Provincial de Bellas Artes.

94A

94B

94C

94b

95

Retrato de caballero *(n. 123). Pintado sin duda en el primer decenio del siglo XVII, pertenece a la serie ideal de los retratos de personajes nobles, de planteamiento monumental y de tradicionales características del siglo anterior.*

APOSTOLADO DE ALMADRONES
(n. 103A-103I)
(con intervención del taller)

103A. El Redentor
Oleo sobre lienzo / 72×55 / 1600*
Madrid, Prado.

103B. San Andrés
Oleo sobre lienzo / 72×55 / 1600*
Los Angeles, County Museum.

103b. c.a.
Oleo sobre lienzo / 70×53,5 / firmado / 1600-14
Budapest, Szépmüvészeti Múzeum.
Réplica del n. 103B.

103C. Santiago el Mayor
Oleo sobre lienzo / 72×55 / firmado / 1600
Madrid, Prado.

103c. c.a.
Oleo sobre lienzo / 70×54 / firmado / 1595-1614
Londres, col. A. E. Allnatt.
Réplica del n. 103C.

103D. San Juan Evangelista
Oleo sobre lienzo / 72×55 / firmado / 1600*
Fort Worth (Texas), Kimbell Art Foundation.

103E. San Lucas (San Bartolomé ?)
Oleo sobre lienzo / 72× 55 / firmado / 1600*
Indianapolis, G.H.A. Clowes Foundation.

103F. San Mateo
Oleo sobre lienzo / 72×55 / firmado / 1600*
Indianapolis, G. H. A. Clowes Foundation.

103G. San Pablo
Oleo sobre lienzo / 72×55 / 1600*
Madrid, Prado.

Resurrección *(n. 129a). Según la mayor parte de la crítica el cuadro constituía originariamente el* pendant *de la* Pentecostés *(n. 130), tanto por las dimensiones como por el alargamiento expresionista de las figuras.*

96

97a

97b

98a

98b

99

100a

101

102

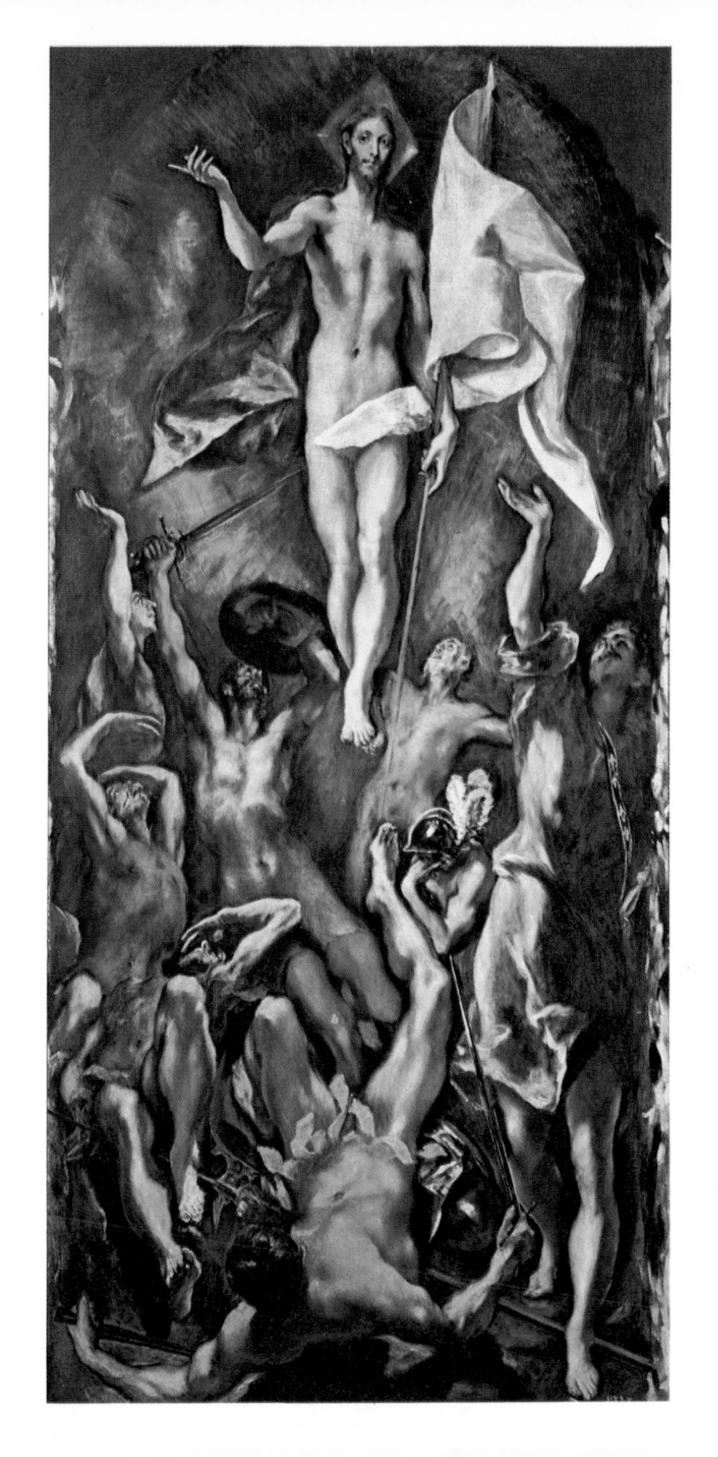

103H. San Simón
Oleo sobre lienzo / 72×55 / firmado / 1600*
Indianapolis, G.H.A. Clowes Foundation.

103I. Santo Tomás (San Felipe ?)
Oleo sobre lienzo / 72×55 / firmado / 1600*
Madrid, Prado.

APOSTOLADO SAN FELIZ (n. 104A-104L)
Oviedo, col. marqués de San Feliz
(con colaboraciones)

104A. San Andrés
Oleo sobre lienzo / 70×53 / 1600*

104B. San Felipe
Oleo sobre lienzo / 70×53 / firmado / 1600*
Lleva la inscripción errónea: "S. Mateo".

104C. Santiago el Mayor
Oleo sobre lienzo / 70×53 / firmado / 1600*

104D. Santiago el Menor
Oleo sobre lienzo / 70×53 / firmado / 1600*

104E. San Juan Evangelista
Oleo sobre lienzo / 70×53 / 1600*

104F. San Judas Tadeo
Oleo sobre lienzo / 70×53 / 1600*

104G. San Lucas
Oleo sobre lienzo / 70×53 / 1600*
Lleva la inscripción errónea: "S. Simón".

104g. c.a.
Oleo sobre lienzo / 71×53,5 / firmado / 1600-10
Nueva York, Hispanic Society.
Réplica del n. 104G.

104H. San Mateo
Oleo sobre lienzo / 70×53 / 1600*
Lleva la inscripción errónea: "S. Phelipe".

Pentecostés *(n. 130). Probablemente realizado como* pendant *del lienzo precedente (n. 129a) para la capilla de la Virgen de Atocha en Madrid, en el primer decenio del siglo XVII.*

103A

103B

103C

103D

103E

103F

103G

103H

103I

104A

104I. San Pablo
Oleo sobre lienzo / 70×53 / firmado / 1600*

104i. c.a.
Oleo sobre lienzo / 37×28
Antes en Nueva York, J. Levy Galleries.
Réplica del n. 104I. *Pendant* del n. 104l.

104J. San Pedro
Oleo sobre lienzo / 70×53 / 1600*

104K. San Simón
Oleo sobre lienzo / 70×53 / 1600*
Lleva la inscripción errónea: "S. Bartholomé".

104L. Santo Tomás
Oleo sobre lienzo / 70×53 / firmado / 1600*

104l. c.a.
Oleo sobre lienzo / 37×28
Antes en Nueva York, J. Levy Galleries.
Réplica del n. 104L.
Pendant del n. 104i.

105a. San Juan Bautista
Oleo sobre lienzo / 111×66 / firmado / 1600-05*
San Francisco, M. H. de Young Memorial Museum.

105b. c.a.
Oleo sobre lienzo / 105×64 / firmado
Valencia, Museo Provincial de Bellas Artes.
Réplica con variantes.

106a. Vista de Toledo
Oleo sobre lienzo / 121×109 / firmado / 1595-1610
Nueva York, Metropolitan Museum (Havemeyer).

106b. Paisaje en las cercanías de Toledo
Oleo sobre lienzo / 37×17
Nueva York, col. J. Hirsch.
Atribución.

Crucifixión con vista de Toledo *(n. 131).*
El lienzo, que pertenece a la plena madurez del artista, insiste en la iconografía de Cristo sufriente, con el rostro vuelto a las alturas y el cuerpo alargado, del lienzo del Louvre (n. 48). Al fondo, la vista nocturna de Toledo.

104B

104C

104D

104E

104F

104G

104H

104I

104J

104K

IESVSNAZARE
NVSREXIVDEOR

107. San Francisco de pie, en meditación
Oleo sobre lienzo / 105×87 / 1600-05
Madrid, col. marqués de Santa María de Silvela.
Pendant del n. 93b.

108. Los santos Juan Evangelista y Francisco
Oleo sobre lienzo / 64×50 / 1600-05 (?)
Madrid, Prado.
Atribución.

109. San Sebastián
Oleo sobre lienzo / 89×68 / *1600*
Antes Bucarest, palacio real.

110. San Bernardino
Oleo sobre lienzo / 269×144 / firmado / 1603
Toledo, Museo del Greco.

PINTURAS EN LA IGLESIA DEL HOSPITAL DE LA CARIDAD
(n. 111A-111E)
Illescas, hospital de la Caridad

111A. Virgen de la Caridad
Oleo sobre lienzo / 180×124 / 1603-05

111B. Coronación de la Virgen
Oleo sobre lienzo / 163×220 / 1603-05

111b. c.a.
Oleo sobre lienzo / 157×74
Chicago, col. Epstein.
Probable estudio para el n. 111B.

111C. Anunciación
Oleo sobre lienzo / diám. 128 / firmado / 1603-05

111D. Natividad
Oleo sobre lienzo / diám. 128 / firmado / 1603-05
Se menciona un estudio preparatorio en el I Inventario de los bienes del Greco.

111E. San Ildefonso
Oleo sobre lienzo / 187×102 / firmado / 1600-05

Oración en el huerto
(n. 136a). Considerada por la crítica una de las versiones autógrafas de mayor calidad del tema, de la que se conocen distintas réplicas y copias.

105a

105b

106

107

108

109

112a. Anunciación
Oleo sobre lienzo / 128×84 / 1600-05
Toledo (Ohio), Museum of Art.

112b. c.a.
Oleo sobre lienzo / 91×66,5 / firmado / 1600-10
Budapest, Szépmüvészeti Múzeum.

112c. c.a.
Oleo sobre lienzo / 100×68
La Habana, col. Cintas.

112d. c.a.
Oleo sobre lienzo / 109×80
Kurashiki (Japón), col. Soichiro Ohara.

112e. c.a.
Oleo sobre lienzo / 107×74
São Paolo, Museu de Arte.
Atribución.

113a. Cristo crucificado, con la Virgen y san Juan Evangelista
Oleo sobre lienzo / 158×97 / firmado / *1600-05*
Sarasota, Ringling Museum.

113b. c.a.
Oleo sobre lienzo / 158×97 / *1600-05*
Filadelfia, John J. Johnson Collection.

114a. Visión de san Francisco
Oleo sobre lienzo / 203×125 / firmado 1600-05
Cádiz, hospital de Nuestra Señora del Carmen.

114b. c.a.
Oleo sobre lienzo / 193×148 / firmado
Madrid, Museo Cerralbo.
Con colaboraciones.

114c. c.a.
Oleo sobre lienzo / 101×66 / 1610*
Madrid, col. duque de T'Serclaes.
Atribución.

115. San Lucas
Oleo sobre lienzo / firmado / 1600-05
Rosario (Argentina), Museo Municipal de Bellas Artes.

110

111A

111B

111E

111C

111D

Retrato del cardenal Juan de Tavera *(n. 140). Pintado por el Greco probablemente hacia 1608, utilizando la máscara mortuoria del retratado (fallecido en 1545). Había sido el fundador del hospital toledano para el cual el artista realizó el último conjunto de obras.*

Vista y mapa de Toledo *(n. 143). El joven de la derecha, generalmente identificado con el hijo del artista, Jorge Manuel, sostiene un mapa con una larga inscripción que ilustra la iconografía adoptada en la vista, donde aparece particularmente destacado el hospital Tavera.*

APOSTOLADO EN LA SACRISTIA DE LA CATEDRAL DE TOLEDO
(n. 116A-116M)
Toledo, catedral

116A. El Redentor
Oleo sobre lienzo / 100×76 / 1602-05

116B. San Andrés
Oleo sobre lienzo / 100×76 / 1602-05

116C. San Felipe
Oleo sobre lienzo / 100×76 / 1602-05
Con intervención del taller.

116D. Santiago el Mayor
Oleo sobre lienzo / 100×76 / 1602-05

116E. Santiago el Menor
Oleo sobre lienzo / 100×76
Con intervención del taller.

116F. San Juan Evangelista
Oleo sobre lienzo / 100×76 / 1602-05

116G. San Judas Tadeo
Oleo sobre lienzo / 100×76 / 1602-05
Alguna intervención del taller.

116H. San Lucas
Oleo sobre lienzo / 100×76 / 1602-05
Quizá sea un autorretrato.

116I. San Mateo
Oleo sobre lienzo / 100×76 / 1602-05

116J. San Pablo
Oleo sobre lienzo / 100×76 / 1602-05

116K. San Pedro
Oleo sobre lienzo / 100×76 / 1602-05
Probablemente realizado por el taller.

116L. San Simón
Oleo sobre lienzo / 100×76 / 1602-05
Con intervención del taller.

116M. Santo Tomás
Oleo sobre lienzo / 100×76
Con intervención del taller.

112a

112b

112c

113a

113b

114a

115

116A 116B 116C 116D

116E 116F 116G 116H

116I 116J 116K 116L

116M 119a

117

118a

Laocoonte *(n. 145; det.).*
El mítico tema, tan caro a los artistas del siglo XVI después del hallazgo en Roma del grupo escultórico helenístico, hoy en el Vaticano, se replantea aquí en una versión personalísima, de exasperada tensión expresiva, sobre el fondo de Toledo.

117. Retrato de cardenal (San Buenaventura ?)
Oleo sobre lienzo / 57×46 / 1600-05
Melbourne, National Gallery of Victoria.
Muy reducido respecto de las dimensiones originales (103×84).

118a. San Francisco y fray León meditando sobre la muerte
Oleo sobre lienzo / 168×103 / firmado / 1600-06
Ottawa, National Gallery of Canada.

118b. c.a.
Oleo sobre lienzo / 155×100 / firmado / 1600-06
Zurich, col. Bollag (en depósito en Berna, Kunstmuseum).

118c. c.a.
Oleo sobre lienzo / 152×113 / firmado / 1585-95
Madrid, Prado.

118d. c.a.
Oleo sobre lienzo / 112×80 / firmado
Merion (Pennsylvania), Barnes Foundation.

118e. c.a.
Oleo sobre lienzo / 72× 49 / firmado / 1590-95
Antes en Nueva York, col. Drey.

118f. c.a.
Oleo sobre lienzo / 102×65
Toledo, Museo del Greco.
Atribución.

118g. c.a.
Oleo sobre lienzo / 109×67 / firmado
Milán, Brera.
Atribución.

120

121a

122

123

124

125

126a

127

San Sebastián *(n. 148). Una de las postreras y apasionadas repeticiones de un tema religioso tradicional. En los últimos años se encontró un lienzo con la parte inferior de la figura del santo; al fondo, una vista de Toledo (véase la ilustración en el catálogo).*

119a. Adoración de los pastores
Oleo sobre lienzo / 141×111 / *1605
Valencia, Colegio del Patriarca.

119b. c.a.
Oleo sobre lienzo / 164×107 / 1605-14
Nueva York, Metropolitan Museum.

120. Santo Domingo en oración
Oleo sobre lienzo / 101×55 / *1606
Toledo, Museo de Santa Cruz.

121a. Los santos Pedro y Pablo
Oleo sobre lienzo / 123×92 / 1605-08
Estocolmo, Nationalmuseum.

121b. c.a.
Oleo sobre lienzo / 121×105
Leningrado, Ermitage.

122. Retrato de caballero joven
Oleo sobre lienzo / 55×49 / firmado / 1600-10
Madrid, Prado.

123. Retrato de caballero
Oleo sobre lienzo / 64×51 / firmado / 1600-10
Madrid, Prado.

124. Retrato del canónigo Bosio
Oleo sobre lienzo / 116×86 / 1600-10
Antes en Sinaia (Rumania), palacio real.

125. Retrato de dominico
Oleo sobre lienzo / 35×26
Madrid, Prado.

126a. Aparición de la Virgen con el Niño a san Jacinto
Oleo sobre lienzo / 158×98 / 1600-10
Merion (Pennsylvania), Barnes Foundation.

126b. c.a.
Oleo sobre lienzo / 99×61 / 1600-10
Rochester (Nueva York), Memorial Art Gallery.

Expulsión de los mercaderes del templo *(n. 149; det.). Es la última versión de un tema sobre el cual el artista insistió en momentos distintos, acentuando aquí el verticalismo de la composición.*

128

129a

130

131

127. San Pedro
Oleo sobre lienzo / 207×105 / 1605-10
El Escorial, monasterio.
Cortado por arriba.

128. San Ildefonso
Oleo sobre lienzo / 222×105 / 1605-10
El Escorial, monasterio.
Ligeramente reducido por arriba.

129a. Resurrección
Oleo sobre lienzo / 275×127 / firmado / 1605-10
Madrid, Prado.
Probable *pendant* del n. 130.

129b. c.a.
Oleo sobre lienzo / 113×53
Saint Louis (Missouri), City Art Museum.

130. Pentecostés
Oleo sobre lienzo / 275×127 / firmado / *1605-10
Madrid, Prado.
Probable *pendant* del n. 129a.

131. Cristo crucificado y una vista de Toledo
Oleo sobre lienzo / 111×69 / firmado / 1605-10
Madrid, Banco Urquijo.

132. San Pedro
Oleo sobre lienzo / 71×55 / 1605-10*
San Francisco, California Palace of the Legion of Honor.
Con colaboraciones. *Pendant* del n. 57i.

133. Los santos Juan Evangelista y Juan Bautista
Oleo sobre lienzo / 110×87 / 1605-10
Toledo, Museo de Santa Cruz.

134. La Magdalena penitente
Oleo sobre lienzo / 118×105 / firmado / 1605-10
Bilbao, col. F. Valdés Izaguirre.

Adoración de los pastores *(n. 151a). Figura entre las obras más importantes de la actividad del artista en sus últimos años, y estaba destinada probablemente a la capilla de la familia del - Greco en la iglesia toledana de Santo Domingo el Antiguo.*

132

133

134

135

136a

136b

135. Virgen amamantando al Niño
Oleo sobre lienzo / 90×71 / 1605-10
Madrid, col. marquesa de Campo Real.

136a. Oración en el huerto
Oleo sobre lienzo / 169×112 / firmado / 1605-10
Andújar (Jaén), iglesia de Santa María.

136b. c.a.
Oleo sobre lienzo / 170×112,5 / firmado / *1605-10
Budapest, Szépmüvészeti Múzeum.

136c. c.a.
Oleo sobre lienzo / 110×76 / 1605-14
Buenos Aires, Museo Nacional de Bellas Artes.

137. Inmaculada Concepción
Oleo sobre lienzo / 108×82 / 1605-10
Lugano, col. Thyssen.

138. Retrato de fray Hortensio Félix Paravicino
Oleo sobre lienzo / 113×86 / firmado / 1609
Boston, Museum of Fine Arts.

139. Retrato de Jerónimo de Cevallos
Oleo sobre lienzo / 65×54 / 1605-14
Madrid, Prado.

140. Retrato del cardenal Juan de Tavera
Oleo sobre lienzo / 103×82 / 1608-14
Toledo, hospital Tavera.

141a. La cena en casa de Simón
Oleo sobre lienzo / 143×100 / 1605-14
Chicago, Art Institute.
Con posible intervención de Jorge Manuel.

141b. c.a.
Oleo sobre lienzo / 150×104 / 1605-14
Nueva York, Brooklyn Museum (Cintas).
Con colaboraciones.

Adoración de los pastores
(n. 151a; det.).
En la transfigurada interpretación del tradicional tema evangélico, san José está representado más joven de lo acostumbrado, con las manos abiertas en adoración.

138

137

139

141a

142B

PINTURAS PARA LA CAPILLA OBALLE EN SAN VICENTE DE TOLEDO (n. 142A-142B)

142A. La Asunción
Oleo sobre lienzo / 347×154 / 1607-13
Toledo, Museo de Santa Cruz.

142B. Visitación
Oleo sobre lienzo / 97×71 / 1607-14
Washington, Dumbarton Oaks Research Library and Art Collection.

---

143. Vista y mapa de Toledo
Oleo sobre lienzo / 132×228 / 1608-14
Toledo, Museo del Greco.

APOSTOLADO DEL MUSEO DEL GRECO
(n. 144A-144M)
Toledo, Museo del Greco

144A. El Redentor
Oleo sobre lienzo / 97×77 / 1610-14

144B. San Andrés
Oleo sobre lienzo / 97×77 / *1610-14
Barba y manos inacabadas.

144C. San Bartolomé
Oleo sobre lienzo / 97×77 / 1610-14

144D. San Felipe
Oleo sobre lienzo / 97×77 / 1610-14
Parte inacabada en el rostro.

144E. Santiago el Mayor
Oleo sobre lienzo / 97×77 / 1610-14
Mano izquierda inacabada.

144F. Santiago el Menor
Oleo sobre lienzo / 97×77 / 1610-14

Bautismo de Cristo
(n. 153A). Pertenece a la última serie de trabajos realizados para el hospital Tavera de Toledo y que en parte quedaron inacabados a la muerte del artista. A lo largo del margen vertical, a la izquierda, son visibles las pruebas de color.

143

144A

144B

144C

144D

144E

144F

144G

144H

144I

144J

144K

144L

144M

144G. San Juan Evangelista
Oleo sobre lienzo / 97×77 / 1610-14
Con colaboraciones.

144H. San Judas Tadeo
Oleo sobre lienzo / 97×77 / 1610-14
Inacabado.

144I. San Mateo
Oleo sobre lienzo / 97×77 / 1610-14

144J. San Pablo
Oleo sobre lienzo / 97×77 / firmado / 1610-14

144K. San Pedro
Oleo sobre lienzo / 97×77 / 1610-14

144L. San Simón
Oleo sobre lienzo / 97×77 / 1610-14

144M. Santo Tomás
Oleo sobre lienzo / 97×77 / 1610-14

---

145. Laocoonte
Oleo sobre lienzo / 142×193 / 1610-14
Washington, National Gallery of Art (Kress).
Presenta zonas inacabadas.

146a. Santa Catalina de Alejandría
Oleo sobre lienzo / 90×61 / firmado / 1610-14
Topsfield (Mass.), col. Coolidge.

146b. c.a.
Oleo sobre lienzo / 57×48 / firmado
Nueva York, Metropolitan Museum.

147. Anunciación
Oleo sobre lienzo / 152×99 / 1610-14
Sigüenza, catedral.

148. San Sebastián
Oleo sobre lienzo / 115×85 / 1610-14
Madrid, Prado. El fragmento con las piernas del santo y paisaje (óleo sobre lienzo) está en Madrid, col. Arenaza.

145

146a

147

148

149

150

Quinto sello del Apocalipsis *(n. 153C). Generalmente colocado por la crítica en el conjunto de las pinturas realizadas para el hospital Tavera, es la transfigurada interpretación de un pasaje del* Apocalipsis *de san Juan.*

149. Expulsión de los mercaderes del templo
Oleo sobre lienzo / 106×104 / *1610-14
Madrid, iglesia de San Ginés (cofradía del Santísimo Sacramento).
Con intervención de Jorge Manuel.

150. San Jerónimo penitente
Oleo sobre lienzo / 168×110 / 1612-14
Washington, National Gallery of Art (Chester Dale).

151a. Adoración de los pastores
Oleo sobre lienzo / 320×180 / 1612-14
Madrid, Prado.

151b. c.a.
Oleo sobre lienzo / 111×65 / 1600-14
Nueva York, Metropolitan Museum.

152. Esponsales de la Virgen
Oleo sobre lienzo / 110×83 / 1613-14
Bucarest, Muzeul de Artã al Republicij Socialiste Romania.
Inacabado, y probablemente cortado en época reciente.

PINTURAS PARA EL HOSPITAL TAVERA EN TOLEDO (n. 153A-153C)

153A. Bautismo de Cristo
Oleo sobre lienzo / 330×211 / 1608-14
Toledo, hospital Tavera.
Con la colaboración de Jorge Manuel.

153B. Anunciación
Oleo sobre lienzo / 291×205 / 1608-14*
Madrid, Banco Urquijo.
Inacabado, y probablemente cortado a finales del siglo XIX. El fragmento superior, que representa un *Concierto de ángeles* (112×205), figura en la Pinacoteca Nacional de Atenas.

153C. El Quinto Sello del Apocalipsis
Oleo sobre lienzo / 225×193 / 1608-14*
Nueva York, Metropolitan Museum.
La parte superior fue probablemente destruida.

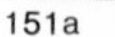

151a

152

153B

153A

153C